ノモンハン戦争

モンゴルと満洲国

田中克彦
Katsuhiko Tanaka

岩波新書
1191

まえがき

一九三九年のハルハ河の戦争では、モンゴル人民革命軍は二三七人が戦死し、三二人が行方不明となった。ところがモンゴルにおける政治的迫害のために、ひかえめに見積っても、この百倍もの多数のモンゴル人が誣告《ぶこく》によって処刑され、生命をおとしたのである。

——D・ダシダバー

ノモンハン事件を話題にする人の中には、「本当は日本側が勝っていた」とか、「よくぞあれほど善戦・敢闘したものだ」と讃えることで自らをなぐさめるような記事が、いまだに新聞や雑誌をにぎわせている。また、そうすることによって、あの地で果てた英霊に感謝と哀悼の心を捧げたいというのが、そのような記事を書く人の気持ちであろう。

だが、あの戦争が目的とした国境線は結局、モンゴル側の主張どおりを日本・満洲国軍が認めて、東西二〇キロ、南北七〇キロほどの地帯はモンゴルのものとなったのである。もし、かりに「あの時日本が勝っていた」としよう。すると、日本がモンゴルから勝ち取ったその領土は、今日の中国のものになっていたはずである。結果から見れば、日本軍は二万人をこえる——勝ったと主張する人たちに従ってもっと少ない一万数千人としてもいい——あっぱれな兵士たちの生命を捧げて、中国のためにモンゴルから領土を奪ってあげたということになる。そのことを名誉とするか屈辱とするかは人の好みによるところである。

そのような「戦史」に熱中するよりも、現在モンゴルの歴史家たちがやっているように、どうすればあのような戦争にならずにすんだかを研究するほうが、はるかに重要で意味のある作業であるはずだ。

本書は、あの戦争はいったい何だったのか、背後には何があったのか、どのような状況によって戦争に至ったかを、最近の研究から明らかになった成果にもとづいて、できるだけ客観的に示そうとしたものである。

本書はまた、ノモンハン戦争をそれ自体として見るだけでなく、そもそもあの戦争は、さらに一般に戦争とはいったい何なのかを考えるうえで、参考になればと願うものである。

本書は、ともに強大国のマリオネット(傀儡《かいらい》)であった二つの国家の間で戦われた戦争の後、一方はあえなくついえ去ったけれども、もう一方はかいらいであることに耐え、耐えぬいて、ついに独立に達した、一つの小さな民族が守りとおした、かれら自身の言語によって文字どおり命をかけて残した史料と研究にもとづいて書かれている。

地名などの表記について

「満洲」という漢字表記は、マンジュ(Manju)という名の民族と、その歴史的居住空間を示すための音写である。マンジュの意味が「満」とも「洲」とも関係がないのは、ちょうどフランスが「仏蘭西」と書かれるからといって、その国が「ほとけ」とも植物学とも関係がないのと同様である。したがって本書では、モンゴルが「蒙古」ではないのと同様に「満洲」ではなくできるだけマンジュと書くように試みた。

それはまた、「新満洲」がないのにわざわざ「旧満洲」と書いたり、「中国東北部」などと書くことによって、エスニックな地理呼称(たとえばチベットなど)が消し去られることがないようにとの願いも含んでいる。

ただし、「満洲国」は漢字でつくられた名称なので、漢字で表記する。その際、私としてはできるかぎり漢字を簡略にして用いたい方針にもかかわらず、この「洲」は「州」としない。というのは、清朝史にくわしい岡田英弘から、清王朝は、水にゆかりがあることにより、その名「清」にあるサンズイにあわせて満も洲もすべてサンズイのある文字として定めたという説明を聞いて以来、簡便屋の私も、このサンズイを略さないように心がけることにしたからである。

次に、モンゴル語の母音の日本語表記についてである。モンゴル語の母音の学術的なローマ字表記はa, e, i, o, ö, u, ü であり、それにあたるキリル(ロシア)文字はа, э, и, о, ө, у, ү である。ところでこのu(у)を、カナでウと写し、そのように発音する人は、欧米人からモンゴル語を学んだ人に多く見かけるけれども、実際の音価をＩＰＡ(国際音声字母)で写すと[o]であり、一方、o は[ɔ]と表記される、たとえば英語の boy [bɔɪ] の母音に近い広い「オ」である。ドイツ語にたとえて言えば、日本語人ならば Frau(女)を「フラウ」ではなく、「フラオ」という気持で発音した方が、それらしいオトになるのと同じ要領である。

したがって本書ではブイル湖ではなく、ボイル湖と表記するけれども、「ウランバートル」など、すでに慣用的に定着しているものは慣用にしたがう。

次に出典の表示にあたっては、基本的に著者名(あるいは書名)とページ数のみを示した。刊行年、出版元などは巻末の参考文献一覧でたしかめていただきたい。

また外国語文献からの訳文は、必ずしも出版された邦訳テキストそのものではなく、著者が原文と照らしあわせた上で、よりふさわしいものは訳しなおしたところもある。

目　次

まえがき
第一章　「事件」か、「戦争」か　1
第二章　満洲国の国境とホロンボイル　35
第三章　ハルハ廟事件からマンチューリ会議まで　79
第四章　抵抗するモンゴルの首脳たち　119
第五章　受難のブリヤート人—汎モンゴル主義者　143

第六章　汎モンゴル主義　163
第七章　ソ連、モンゴルからの満洲国への脱出者　181
第八章　戦場の兵士たち　191
第九章　チョイバルサンの夢―果たせぬ独立　203
第一〇章　誰がこの戦争を望んだか　217
あとがき　233
参考文献
略年表

第一章　「事件」か、「戦争」か

「事件」か、「戦争」か

一九三九(昭和一四)年夏、当時の満洲国とモンゴル人民共和国とが接する国境付近で、国境地帯の領土の帰属をめぐって、五月一一日から九月一五日まで四か月にわたる死闘が繰り返された。敵対した一方は日本・満洲国軍、他方はソビエト連邦・モンゴル人民共和国連合軍であった。この戦闘を、日本では「ノモンハン事件」と呼び、ソ連(ロシア)では、「ハルハ河の勝利《パベーダ》」、あるいは「ハルハ河の諸戦闘《バイー》」、「ハルハ河の会戦《ビートワ》」、さらには単に「ハルハ河《ハルヒーン・ゴル》」と呼んでいるが、モンゴル人だけは「ハルハ河の戦争《ダイン》」あるいは「会戦《バイルダーン》」と呼んでいる。戦争はほかでもない、かれらの領土の上で戦われたからである。

大量の戦車と航空機を出動させ、双方の正規軍にそれぞれ二万人前後の死傷者、行方不明者を出したこの軍事衝突は単なる事件《インツィデント》を越えた、明らかに戦争であるのにそう呼ばないのは、この戦争が、双方の間に宣戦布告なしに、いわば非公式に戦われたからにほかならない。この非公式性という点から見ると、日本の空爆隊が六月二七日に、国境から一三〇キロほども奥深く入ったモンゴル領の空軍基地を爆撃したのは、「大命」、すなわち天皇の命令も許可もなく、こっそり行った違法行為であるから、公然と戦争と呼び得る資格を欠いていたのである。しかも戦場に大量の瀕死の重傷者と屍体を残して撤退したのであるから、戦争をしかけた当事者は、あくまでも「事件」という、うちわの話にとどめておきたかったのである。「戦争」ということばを使うとなると、勝ったのか負けたのかをはっきりさせなければならない。「事件」はそれを明らかにしなくてすむ便利なことばである。

従来日本で行われてきた「ノモンハン事件」の研究は、ほとんどが軍事研究であって、双方の出動した軍隊の構成、兵器、兵力、敵に与えた損害、日本側がこうむった損耗、戦争技術の巧拙などが主題であった。しかし、一九九一年、東京で行われた、日本、ソ連、モンゴルの、参戦三か国の代表が参加した「ノモンハン・ハルハ河戦争国際学術シンポジウム」では、モンゴルのゴンボスレン大佐が、「あの戦争は避けることができたかもしれない」という趣旨の報告を行ったのを聞いて、私は深い感銘を受けた。戦争すなわち殺人技術の成果を競い合う研究報告にうんざりしていた私は、戦争を避ける研究なら自分にもできるし、これこそ私がやるべき仕事だと思ったのである。

九一年シンポジウムを計画し実行に移した際に、私は、すでにこのシンポジウムのテーマの名を「事件」ではなく、「戦争」とすることに、実行委員会での理解を得ていたので、それを記録した本の題名もまた「事件」とはせずに「戦争」としたのである。

ノモンハンとは　この戦争を指すノモンハンという語について説明しておかなければならない。これは地名ではない。直訳すると「法王」という、チベット仏教(ラマ教)の僧の位階を示す名であり、さらに好奇心のある人には、この「法」にあたるモンゴル語ノムが、ギリシア語のノモス（νομος、おきて、慣習、法）に由来すると知ることは興味深いであろう。モンゴル文字は一三世紀初め、ウイグル文字を受け入れ、それにいくらかの改変を加えて作られたものであるが、仏典のウイグル語訳の中に、このギリシア語が借用されていたためにモンゴル語の中にも受容されたものである。「仏法」を表すギリシア起源の、このノムという語は、仏法を記した「経典」という意味になり、今日のモンゴル語では、ひろく「書物」を指す基本語彙として用いられている。

「ノモンハン」と日本軍が呼んだ場所には、ノモンハーニー（ノモンハン）・ブルド・オボーという塚《オボー》があった。そしていまもある。モンゴル人は山を越えて行くときの峠道とか、牧地の境界などに石を積み上げて塚を作り、そこを通りすぎていく旅人たちは、旅の安全を祈って、思い思いに、オボーに建てた樹木の枝に布帛を結んだり、タバコを置いたり、ときには馬のしっぽの毛を一つまみ抜いて供えたりして通りすぎていくのである。今日ではそのほかに小銭や、ときには紙幣も置かれている。ブルドとは、水が湧き出して、小さな湿地や沼ができるような場所を言う。ではこの法王、ノモンハーンとは誰のことかといえば、北川四郎氏によると、「ハルハ、ツェツェンハン部《アイマク》左翼前旗の旗長《ジャサク》、チョブトン」のことだという。この話はこれ以上せんさくすると清朝史の知識を必要とするやっかいなことになるから、これでとどめて前に進もう。

現地を訪ねて

私は二〇〇五年、実際にこのノモンハーニー・ブルド・オボーを訪ねてみて、一帯はなるほど、ブルドの名のとおり、豊かな水に恵まれているところであることをたしかめた。そこは決して砂漠だの荒れ地などではなく、近くには旅遊の客のための保養地さえ設けられている。

いくつかの沼や湖水があって、たしかにブルドの名にあたいする。これらの水を源としてハイラースティーン河《ゴル》が西に向かって流れだし、ハルハ河に注ぐのである。北川四郎氏は、オボーの名の由来を、「法王《ノモンハーン》」が葬ってあるからというが、私には、墓と泉とはふさわしい組み合わせとは思われないので、むしろ法王の秘蹟がこの水をもたらしたとする想像のほうが、より好もしく思われるけれども、それはあくまでも想像の域を出ない(図1、図2参照)。とにかく、このような歴史・地理的背景から、私は、もし日本語に訳す必要があるとすれば、ノモンハーニー・ブルド・オボーを「法王清泉塚」とでもしたいのである。

私の推定では、この塚はブルド・オボーと通称されていたのに、日本軍が、初めのノモンハンだけを略称して用いていたのが、戦場地名として有名になり、最近では、日本の観光客を引きつける利益もあって、中国では「諾門罕」と表記して地図の上に地名としてかかげ、そこに戦争博物館を建てることによって観光客集めに利用するようになったのであろう。私がこのように主張する根拠には、民国六(一九一七)年の地図に、「諾們汗布爾都泡」とブルドを略さずに記入した例があるからである(図3)。「泡」(pāo)とは「小さい湖」のことである。なおこの地図では「ハイラース」ではなくて「ホロス(胡路蘇)」としていることにも注意しておこう。

異なる国境線の主張

さて、関東軍はブルド・オボーから二〇キロほど西を、南東から北西へ向かって流れるハルハ河を国境と考えていたのに対し、ソ・モ側は、ブルド・オボーを通り、他のいくつかのオボーを結ぶ線を国境線と考えていた。だから、日・満側は、モンゴル国境巡察の騎馬がハルハ河を越えれば、これを越境として攻撃し、モンゴル側は、日・満側がハイラースティーン河やハルハ河に現れれば、国境侵犯だとして攻撃を加えたのである。

よく遊牧民《ノマド》には、国境もなく、ひたすら「水草を逐《お》うて遷徙《せんし》」(『史記』匈奴列伝)するだけの、自由な生活があるという、ひろく行きわたった考えがあるけれども、日本人にありがちなそのような浅はかな想像は、このハルハ河戦争を見れば破られるであろう。

牧草も水もひたすら天から授かるものであって、それを自ら作り出すことのできない遊牧民にとって、遊牧の境界は我々が思う以上に厳しく定められているのである。

ブルド・オボー一帯から流れ出した水がハイラースティーン河となってハルハ河に注ぐという、この自然地理的空間は、たしかに遊牧民にとっては一体のものとして考える理由があるよ

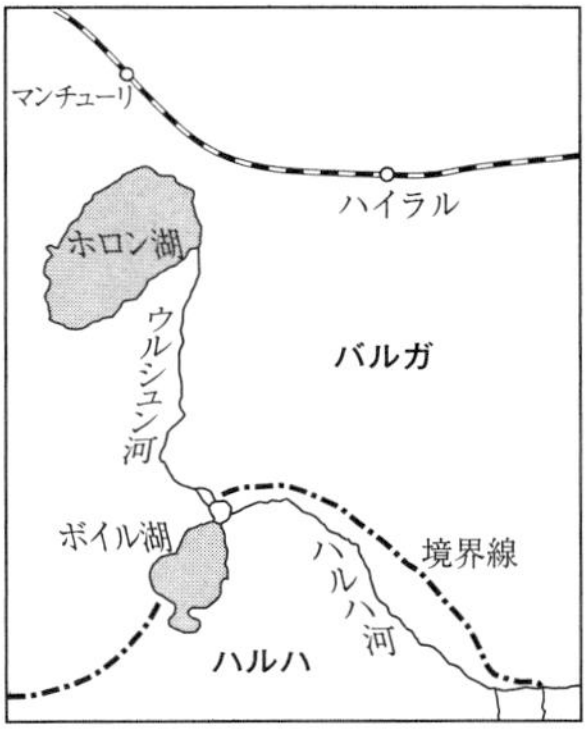

図 2　1912 年におけるハルハとバルガの境界線(バラーノフによる)

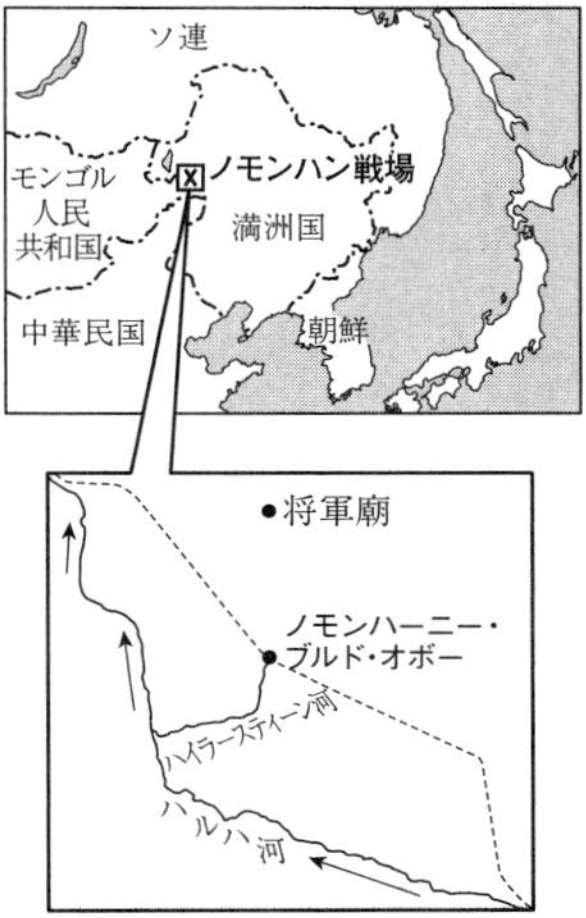

図 1　ノモンハン戦場の位置

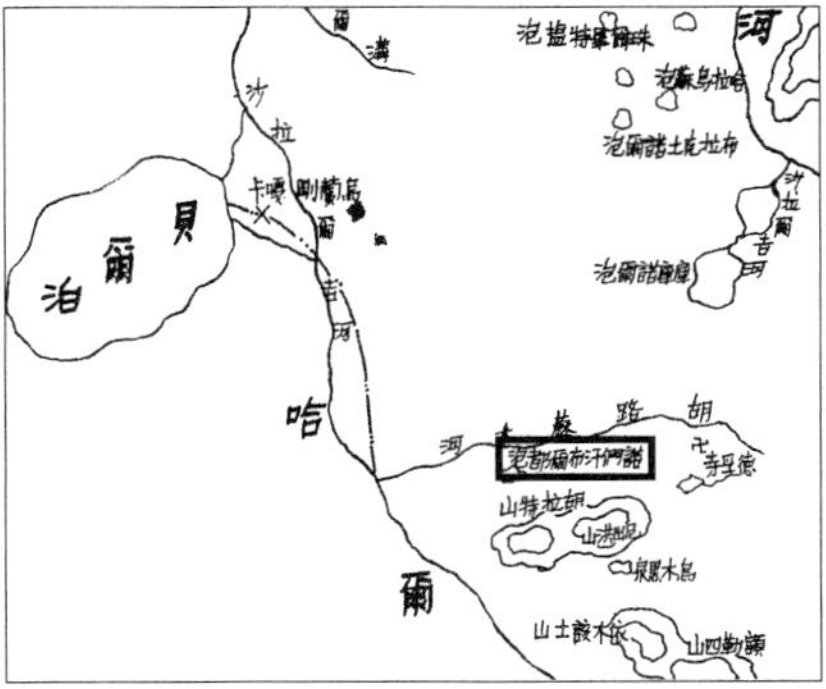

図 3　中国の地図に「諾們汗布爾都泡」としてノモンハン・ブルドの名が登場する(中央研究院近代史研究所編『中俄関係史料 外蒙古 民国 6 年至 8 年 中国近代史資料彙集』)

うに思われる。
しかしロシア(ソ連)も、日本と同様に、山や河のような顕著な自然的境界を国境のめじるしにするという、近代的考えをもっていたようである。それが一九三四年ごろ変わった。ソ連はモンゴル人民共和国の主張を容れ、あるいはそれを利用して、かれらの軍用地図の上で国境線を引きなおして日本軍との戦闘にそなえたと思われるふしがある。これが、軍事力だけをたのみとして問題を解決しようという関東軍にとっては決定的な落とし穴になった。

戦闘の発端と経過

戦闘は、基本的にはノモンハーニー・ブルド・オボーからハルハ河に至るまでの東西約二〇キロ、ハルハ河に沿った南北六〇〜七〇キロの砂がちの草原で戦われた。

「基本的には」という限定をつけねばならないのは、ソ・モ軍が、かれらが国境線とするブルド・オボーの線は越えなかったのに、日本軍は、ハルハ河に小さな橋をかけて渡河し、日本軍自身がモンゴル領と考える西岸にも入ってしまったからである。この無謀な作戦はわずか三日間ほどで撃退されてしまった次第はあとで述べる(一五・一六ページ)。

衝突は五月一一日に起きた。とはいえこれが初めてではなく、四年前にさかのぼるハルハ廟《スム》事件以来、日常的に起きる小競り合いの一つだった。

「事件」の最初のきっかけとなった五月一一日の衝突については、日・満側には極めて抽象的な報告しか残されていない。

たとえば、「わが警察隊は再びハルハ河飲馬場付近で外蒙側の国境監視兵と衝突、敵はさらに増援隊を繰り出したので激戦となり」(『満洲国軍』539)というような書き方である。それに対し、モンゴル側は、日・満軍「二五〇人の一隊がハルハ河東方から、騎兵五〇〇がハルハ河に向かって国境線を一五キロ侵入し、ノモンハーニー・ブルド・オボー近くのボイトクト砂丘にいたわが哨所兵に向かって攻撃したが、わが軍は包囲を脱出することができた。……ハルハ河戦争はこのようにして始まった」といくぶん具体的に述べている(サムダンゲレク49～50)。

日本側では、「単なる国境紛争の一つに過ぎないもの」(防衛庁419)であり「ほっておけばありきたりの国境事件で終わったであろう」(『満洲国軍』536)という認識が示されるほど、特筆すべきものではなかった。「第十軍管区司令官ウルジン中将も、小松原師団長に「国境の小紛争は国軍に任せてほしい」と申し入れたが、師団長は「ただちに報復措置」をとった」(同)と記されている。

五月一五日、東捜索隊はハイラースティーン河南岸、ハルハ河への合流点近くのノゴー(モンゴル語では緑という意味で、日本軍はこれをなまって、ノロとする)高地でソ・モ軍を包囲、敗退させた。小松原師団長は、「これで事件はこれ以上拡大することはないと判断」した(防衛庁443)というが、捕虜とした「ソ連衛生兵曹長ドローブ」を尋問したところ、ソ・モ軍がハルハ河右岸に集結したとの情報に基づいて、二二日、山形支隊を中心とする約一六〇〇名の日・

満軍が出動した。

東中佐の最期は？

二八日から、戦車を伴った優勢なソ・モ軍に包囲されて敗退、特に捜索隊長東八百《やお》蔵《ぞう》中佐以下二〇数名は全滅した。そのときの状況を、日本側は次のように記している。

〔五月二九日〕十八時過ぎ、ソ蒙軍の第一線は既に陣地前約二〇米《メートル》に近接し、東中佐以下二十数名は勇躍突撃に移り、全員、「護国の神」と化した（防衛庁 454）。

アズマ中佐のことは、日本兵捕虜の尋問から、モンゴル軍にもよく知られていた。この戦闘で戦死したシャーリーボーの後をうけて第六騎兵師団長になったダンダルは次のように回想している。

わたしはアズマ中佐を捕らえようと、二名の兵隊を連れて、匍匐《ほふく》前進して近づいた。……そうっと近づいて、上からとびかかった。この太った日本人はとても強かった。しばらく取っ組み合ったが、勝てない。それで拳銃を彼の腹に当てて、二回引き金を引いた。その日本人の手はゆるんでいった。われらの二人の兵隊も走り寄ってきた。アズマ中佐を生け捕りできなかったのは残念であったが、彼の手提げ鞄と武器を手に入れ、部隊に戻った(プレブ 54)。

この回想をモンゴル語から日本語に訳して出版したのは私自身であるが、この文章では、拳銃で撃った日本人がすなわち東中佐であるとは言っていない。それでも、私は、それが東中佐でもあり得ると考えて、この文章を引用したところ、ノモンハン戦史研究者から大きな憤慨のことばを引き出してしまった。

たとえば牛島康允氏は、「部隊長(東中佐)は、大崎中尉とともに抜刀して戦車に向い、最後の突撃をされました。……大声を上げての突撃でしたが、戦車の轟音で聞きとれません」という田端喜八郎軍曹の手記を引きながら、「音を立てないように匍匐して組み打ちをするような戦闘とは、明かに違っている」として、田中の「暴論を排す」という一節をわざわざ設けて反論している(牛島 72〜74)。

たしかにその通りだが、私がこの部分を引用したのは、敵モンゴル側が、「太陽の先生《ナラン・バクシ》」として事前にアズマ中佐のことをよく知っていて、その生け捕りを目指していたことを伝えたかったのである。敵将を、このように名指しで注目していたこと、またバクシ(先生)という敬意のこもった呼び方をしていることに驚いたからだ。また当時のモンゴル兵は、日本のことを今日のようにロシア語から借用したヤポンなどとは言わず、ナラン・オルス(太陽の国)と呼んでいたことがわかる一文である。

一九九〇年に戦場への慰霊の旅に加わったとき、一行の中に、東京都府中市在住の南洋子さんという方がいらした。私はこの方が東中佐の三女であられることに特別の関心があった。だから、私たち一行を兵舎に泊めてくれたモンゴル軍の国境哨所長さんに、私は、あの人がアズマ中佐の娘さんなんだよと耳打ちしてあげた。すると、哨所長はすぐに洋子さんを誘って馬に乗せ、二人でくつわを並べてしばらく草原を歩いていった。ハイラル国民学校の出身だという洋子さんは、乗馬にはたいへん慣れたようすで、ごく自然に誘いに応じられたのだった。私は、すでに一九八四年、このダンダルの回想を訳していたおかげで、東中佐という名は、私が知っていたノモンハン戦争での唯一の名だったのだ。

この戦闘に、日本軍は二〇八二人が参加し、二九〇名が死傷、生死不明、特に捜索隊の損耗率は六三パーセントだと牛島氏は記録している(80)。

二人の舎利弗

モンゴル側の戦記では、第六騎兵師団長シャーリーボーの戦死が特筆されている。戦闘の状況そのものとは何の関係もないけれども、この名を聞いた以上、モンゴル学者としてはやはり一言注釈をつけ加えないではいられない気持ちになる。読者にはめいわくかもしれないが、この名についてひとくさり語ることをお許しいただきたい。

シャーリーボーとは、サンスクリット語でいうシャーリプトラのモンゴルなまりであって、釈尊の高弟であるこの人の名は、漢訳で般若心経にも、「度一切苦厄舎利子」として現れる舎《しゃ》利《り》弗《ほつ》(舎利子)のことである。ウランバートルには、やはりこの戦争に参加した、同じ名前のシャーリーボーさんが九九歳で存命である。この方は満洲国軍参謀だったから、日本の敗戦後、中共軍の追及を逃れてモンゴルに逃げ込んだ。今年(二〇〇九年)三月一九日の『朝日新聞』に、この人のインタビュー記事がある。私は、ウランバートルの名高い日本語の先生として、この人の名を何度も耳にしたことがある。このような知識は、戦場の勝敗とはいささかも関係はないけれども、同じモンゴル人である二人の舎利弗が国境で分けられ、一方は師団長として、他方は参謀として戦わざるを得なかったことに、日本人としてはすまない思いがするのである。

日本の戦史家が「第一次ノモンハン事件」と名づけている戦闘はこのようにして終わった。

ハルハ河を渡っての越境攻撃

五月末までの戦闘が、日本にとっては単にハルハ河の向こう岸へソ・モ軍を追い出すという目的だったのに対し、六月二〇日に始まった第二段階の戦闘は様相がちがっていた。モンゴル側の記録によると、この日、日本の航空隊はハルハ河を越えて、対岸のハマル・ダバー(モンゴル語で「鼻の峠」という意味)の敵の陣地を爆撃した。二二、二四、二六日には、日・ソ双方それぞれ六〇機から一二〇機が空中戦を行っている。

しかし、最大の出来事は、六月二七日、日本が国境線だと主張するハルハ河から一三〇キロほど西に入ったモンゴルの空軍基地タムサグ・ボラクを爆撃していることである。日本の戦史家が「タムスク」と呼んでいる、この地名の意味は、「美味なる泉」と訳せるであろう。空軍基地が設けられる以前は、このささやかな湧き水と、そこに開かれたお寺《スム》によって知られるだけだった。さて、日本側の記録では、この空爆に加わったのは、重爆撃機二四、軽爆撃機六、戦闘機七七、計一〇七機で、未帰還機四となっている(防衛庁 484)。

この越境空爆は、この段階で国境衝突がすでに「事件」とは呼び得ない様相を帯びたことを明らかにしている。この爆撃計画を事前に知った東京の大本営中央は、ことの重大性にかんがみ、「自発的中止」を電報で求めたのみならず、その命令を直接伝えるために、二五日に大本営作戦課参謀の「有末次《やどる》中佐を空路派遣する」と知らせてきた(防衛庁 481)。

この電報を受け取った関東軍作戦課は、何が何でもやりたかった空爆計画を実現したいばかりに、「有末が来る前にやりましょう」と急ぎ、二七日に決行したのである。かんじんの有末参謀を乗せた飛行機は、悪天候のため予定より遅れて、六月二七日、東京からやっと新京に着いたばかりだった。そのときすでにタムサグ・ボラクへの空爆は敢行されていたのだった。関東軍の冒険主義は、皇室にも心痛のたねであった。アメリカのノモンハン戦研究家クックス氏は、「秩父宮は五月の戦闘の後〝日本軍が敵を追撃して外蒙古領土内にはいるのを制止するため〟満州の前線に飛んだ」というUP特派員の話をつたえている(クックス上114)。秩父宮は陸軍大学校でこの空爆計画の中心人物、辻政信と同期であったから辻の冒険主義的性格をよく知っていて、心配されたのであろう。

しかしソ・モ側から見ると、日本軍のこのような思い切った越境空爆が、中央の制止を振り切って行われたなどとは思わないから、これはいよいよ、大がかりなアジア侵略計画を示した「田中メモランドゥム」(後述)の実現としての本格的なモンゴル占領作戦の火ぶたが切られたと思ったのは当然であろう。

地上軍の左岸進攻

越境空爆にとどまらず、地上軍も思い切った作戦に出た。すなわち、七月二日から三日にかけて日本軍は、工兵隊がハルハ河にかけた、ただ一本の橋を渡って、対岸のバヤン・ツァガーン山を占領した。この名は漢字で「白銀査干」と記されているが、それは音写であって「銀」とは関係がない。バヤンは「豊か」、ツァガーン(内モンゴルの発音ではチャガーン)は「白い」という意味であって、この地にあったオボーの名をこう呼んだものである。

ソ・モ連合軍の司令官ジューコフは、そのとき、バヤン・ツァガーン山の日本軍は一万人であり、一〇〇門の砲と六〇門の対戦車砲を持ってきたと述べている。

工兵隊が大急ぎでハルハ河にかけた不安定な浮橋で、これだけの兵力を渡すのは、たいへんなことだ。大砲は分解して運んでから組み立てた。このハルハ河の左岸、モンゴル領は、ハルハ河よりも二、三〇から五〇メートルも高く、ところによっては切り立っていて、上まで人力で砲を持ってよじ登るのが、いかに難事業だったかは、そこに立ってみると、戦争のしろうとである私にもよくわかる。

ソ・モ側は一五〇台の戦車を持っていた。日本軍はサイダーびんにガソリンを詰めた火炎びんを戦車の下に投げ込んで炎上させ、捨て身の戦術をとったが、「何千という死体、死馬の山、無数の砲、自動車」を残して、七月五日に引き揚げた(ジューコフ 123)。撤退は七月四日から五日に行われた。もし敵に橋を爆破されたとしたら、日本軍は退路を失って潰滅の運命にあった。日本側の記録によると、東岸へと無事に撤退を終えてから日本軍はこの橋を爆破した(防衛庁 525〜526)。しかし、ジューコフによれば、この撤退と爆破は申し分のないものではなかった。「日本の将兵たちは完全装備のまま水中に飛び込み、文字通りわが戦車兵の目前でおぼれ死んだ」(122)と記しているからである。

「フイ」高地の悲劇

ハルハ河左岸から日本軍を一掃した後、ソ・モ軍が、右岸の全面にわたって、強力な戦車と航空機を伴って反撃に出たのは八月二〇日であった。ノモンハン戦争について、一九四六年に初めてまとまった記述を書いたシーシキンは、すべての拠点での、日本軍の「頑強」で「執拗な」抵抗について感嘆の念をこめて述べているが、とりわけ、全戦場の北端をなすホロー(フイ)高地における抵抗については、ソ連軍は「落下傘旅団の追加支援を受け」て、やっとのことで抵抗を破ったありさまを次のように述べている。

……フイ高地での戦闘は続行していた。日本軍守備隊は、全面を封鎖されながらもすべての攻撃を撃退しつづけた。……八月二三日の終りになってやっと、第二一二落下傘旅団の追加支援を受けた北面軍諸部隊によって、敵の抵抗を破った。日本兵は手榴弾と銃剣をもって、文字通りすべての壕から叩き出さねばならなかった。一人として捕虜にならなかった。戦闘後、塹壕と掩蔽部から、六〇〇以上の日本軍将兵の屍体が引きずり出された(シーシキン 71~72)。

ソ連側は、これでフイ高地は一人残さずかたづけたと信じていて、陣地に占領を示す赤旗を立てたし、日本側も全滅したものと考えた。

ところが壕の中には、まだ一二九人の兵が、水も糧食もないまま生きていた。井置支隊長は通信機も破壊され、連絡もとれず、二五日未明、ソ連軍が立ち去った後、自らの判断で、高地を脱出して本隊に到着した。その脱出がいかに成功裡に行われたかは、「一人のぎせい者も出さなかった」という事実に現れている。しかしこれは命令によらない無断撤退であると罪を問われ、停戦協定後の九月一六日、ピストルを渡されて自決を強要された。命令に反して撤退したという理由で、靖国神社にまつられることも許されなかった。それが許されたのは戦後になってからであると伝えられる。

工夫した軍用地名

ところで、ここでもやはり、この「フイ」高地という名について述べておきたい。モンゴル語の地図には「ホロー高地」と書き込まれている。ホローとは「指」という意味で、モンゴルの地名を探してみると、他にも、丘や山を指《ホロー》と呼んでいるところがあるので、この名づけの由来は民俗学者たちの知識を動員して調べてみる価値があるだろう。ソ連軍は、この「指」をロシア語に直訳してそこをパーレッツと呼んでいた。

では、日本軍がもっぱら用いていた「フイ」とは何であろうか。それは、七二一メートルの標高を示す数字の、終わりの「二一」をヒフミ読みしてフイと読んだからだという、鈴木善康参謀の直話がひろく伝えられている。戦場となったハルハ河右岸一帯はほぼ標高七〇〇メートル前後の、起伏にとぼしい景観であって、このわずかな高みが重要な戦闘拠点の目印となった。他にも七五三メートルの「イミ高地」、七八〇メートルの「ヤレ高地」などがある。こうした一つ一つの目立たぬ丘にも細かく地名をつけることが必要だったのは、主として足で戦った日本軍にとってであり、戦車で大規模に行動したソ連軍にとっては、大砂丘群《ボリシーエ・ペスキー》などと、いくつかの高地をひとまとめにして大ざっぱに呼ぶだけでことたりたのである。

興味深いことに、ソ連軍もある段階で、この七二一メートル砂丘をパーレツ(指)と呼ぶのをやめて、日本軍の用いていた「フイ」をわけもわからないまま地図にも書き込んで用いはじめ、それはまたたくの間に定着してしまった。この知識は日本人捕虜への尋問や、かれらから捕獲した地図から得たものであろう。

さらに「フイ」がすぐに覚えられてしまったのは、この語がロシア語の俗語の中で、一度聞いたら忘れられない意味をもっていたせいでもあろう。シベリアで捕虜生活を送った高杉一郎は、ロシア人たちが、スターリンをののしるのに「スターリン・ちんぽこ《フイ》」というようにして用いていたとしるしている(『極光のかげに――シベリア俘虜記』岩波文庫)。つまりソビエト軍兵士にとって、「ちんぽこ山」は一度聞いたら忘れられない名だったのであろう。

停戦へ

フイ高地をかたづけたソ連軍は主戦場を南に移し、まず八月二七日にハイラーステイーン河南岸の緑《ノゴー》高地(日本軍の言うノロ高地)を陥し、二八日夜には、日本軍の言うバルシャガル高地(ソ連軍は、七月七日夜の激戦で、ここで戦死したレミゾフ少佐の名をとって、レミゾフ高地と名づけた)を占領した。

このようにして、八月三一日朝には、「モンゴル人民共和国領土から日本軍は一掃された」とモンゴルの歴史家は述べている。

しかし九月に入ってからもまだ戦闘は続いていた。九月九日からクレムリンで、東郷外相とモロトフ外相が停戦についての交渉を行っている最中の九月一五日にも、日本側一二〇機、ソ連側二〇七機の戦闘機が参加して空中戦を行った(シーシキン83)。

九月一六日、モスクワ時間午前二時、日・ソは共同声明で停戦に合意した旨発表した。ソ連はその翌九月一七日に、待ちかまえていたようにポーランドに侵攻した。八月二三日に、ソ連と不可侵条約を結んだドイツは、すでに九月一日西部ポーランドに侵攻していたから、ソ連も急ぎノモンハンでの戦いを終わらせ、ドイツ軍に対抗してポーランドに軍を向ける必要にせまられていたのである。

このような背景から、日本はノモンハン戦争をやめるべきではなかったと主張する軍事史家も少なくないことをつけ加えておこう。

争われた死傷者の数

ソ連がこの戦いに出動させた圧倒的な数量と性能の戦車と、航空機に対し、日本軍が貧弱な装備でよく戦ったということについては、敵からも称賛の声がとどいている。

日本の戦いが敗北に終わったことを認めるとしても、敵に与えた損害が甚大で、わが方は相対的に軽微であったと証明することができれば、日本の戦史家にとってはいささかの慰めになるかもしれない。だからであろう、戦史家が死傷者や損耗率の確認のために注ぐ努力と情熱はなみたいていのものではない。

したがって、『ソビエト大百科事典』が、日本軍の損害は死傷者と捕虜をあわせて六万一〇〇〇人、対するソ・モ軍のそれは一万八五〇〇人だとした記述は、日本の戦史家にとっては我慢のできないものだった。一九九一年の東京シンポジウムでは、ソ連側代表ワルターノフ大佐がソ連軍の損耗は一万八八一五人というくわしい数字を出し、日本側のそれを三万八〇〇〇人としたため、日本側がやや納得しやすい数字に近づいた。しかし、日本の研究者によれば、これでも日本の記録に残っている数のほぼ倍に近いという。私はこうした数字にはほとんど関心がないので、双方それぞれ二万人前後の死傷者と行方不明者(捕虜を含む)という表現にとどめることにしている。

捕虜になった日本の兵士たち

問題は戦死によってではなく、生きたままで戦場から姿を消した将兵たちの消息である。

ホロー(フイ)高地の戦いで、シーシキンはすでに述べたように、日本兵は「一人として捕虜にならなかった。戦闘後、塹壕と掩蔽部から、六〇〇以上の日本軍将兵の屍体が引きずり出された」と記しているが、実際には一二九人が生存していて、井置支隊長はかれらを率いて後方に脱出したのであった。

戦陣訓が示達されるのは、これより二年後のことであるが、そこに言う「生きて虜囚の辱めを受けず」のとおり、捕虜となった兵は極刑をもって罰せられた。それは日本の軍隊にかぎらなかった。ソ連では個人の捕虜のみならず、連邦内でドイツ軍の占領下に入った自治共和国と民族にも一大懲罰が加えられた。独ソ戦の末期、ヴォルガ下流一帯がドイツ軍の支配下に入ったとき、カルムィク自治共和国もまたその占領下に入った。ドイツ軍敗退後、ソビエト軍は、自治共和国の約一〇万のカルムィク人すべてを貨車に乗せて中央アジアとシベリアに運び出して分散させ、また住民のみならず、共和国そのものをまるごと地図の上から消し去るという懲罰を加えた。このような懲罰を受けたのは、カルムィク人だけにとどまらなかった。チェチェン、イングシ、カバルダ、バルカル、クリミヤ・タタールなどの諸民族が、まったく同じような運命をたどった。今日のチェチェン紛争の背景には、こうした歴史があったことを念頭に置かなければならない。

「生きた舌」

自軍の捕虜を許さなかったソ連軍は、ノモンハン戦争において日本軍の捕虜にはある程度丁重さをもってのぞんだらしい。といって、日本兵は進んで武器を捨てて投降したわけではなく、重傷を負って半死半生となり、気がついたら捕虜となっていたというのが大部分であったと思われる。ソ連軍が捕虜に丁重であったのは、かれらが「生きた舌」として利用価値が高かったからである。

「生きた舌」の獲得に特別熱心だったのは、モンゴル人から成る第六騎兵師団だったようだ。その戦記には「五月二八日の朝反撃にうつり、激戦の後日本軍将兵約三百人を滅ぼし、一四人を生け捕りにした中に、大隊指揮官で秘密計画を持っている将校がいたのを上級司令部に送った」と記されている(ジャムサランジャブ 187)

また、日本兵たちが戦場でまめにつけた日記なども、日本軍の動きを知る上で役にたった。一九八九年、モスクワの戦史研究所を訪れたとき、資料保管室の中に金網で囲まれた一角があり、外見からすると、どうやら日本兵から捕獲したと思われる手帳や日記帳が保存されているようであった。当時の状況から、私は、それらの捕獲物についてあえて尋ねることをしなかった。

ソ連側の最高司令官のジューコフは、こうした捕虜の一人を尋問したときのことを書いている。この日本兵はひどい顔をしていた。「だれがそんな顔にしたのかとの私の問いに対し」、茂みの中でじっと動かず、物音をたてずにソ連軍の監視にあたっていたこの兵は、「防蚊網が与えられなかった」ために、蚊の襲撃にがまんできず、「ロシア兵がなにか叫んで銃をふりかざしたとき、私は手をあげ」てしまったと答えたということである(130)。

ジューコフはこの兵士にウォトカをコップに注いで、まあ一杯とすすめ、日本軍人ならば「バンザイを叫びながら勇敢に死ななければならないのではないか」と聞くと、捕虜は「父は私に、死なないで生きて帰れといいきかせた」と答えたと書いている(130)。

停戦協定後、双方の捕虜は一対一で交換された。そのときに帰ってきたのは二〇四人であり、これらほとんどが重傷を負っていた捕虜で、四機の飛行機に分乗させられて交換の場所に現れたときのようすをシーモノフは書きとめている(シーシキン 171 以下)。

ソ連にとどまる捕虜たち

しかし、九一年のシンポジウムで、ワルターノフ大佐が持ってきた日本人捕虜の名簿に記載されていたのは一二九人であった。ソ連側の言い分によれば、罰を恐れて、日本に帰るよりはソ連にとどまる道をえらんだ捕虜が多かったという。その数は、元関東軍憲兵准尉、福田義治氏の推定によれば、少なくとも四〇〇〇人にのぼるという。

特別の執念をもって捕虜の問題にとりくんでこられた甲府市在住の楠裕次氏は、この数字に同意している。私もブリヤート共和国で、九二歳で亡くなった自分の父から、死の直前に、じつは私は北海道生まれの鈴木という日本人だと打ち明けられた、という女性と知り合った。その村では、村長にあたる人が、当局からの厳罰を恐れながらも自分の養子として、ひそかにかくまったのだという。女性は、自宅に私を招いて二人の娘さんに会わせ、どうです、日本人そっくりでしょうと自慢そうに笑ったのである。

戦争前夜にさかのぼる
—田中メモランドゥム

この戦争がいかに発生したかに対するソ連・モンゴル側の公式見解は、一九二七年、時の総理大臣田中義一が天皇に上奏したという、アジアからソ連領東部シベリアにまで及ぶ大規模な侵略計画にもとづいていて、ハルハ河での日本軍の攻撃は、その一歩でしかないというものだ。一九三一年、ソ連は、この上奏文の内容を「田中メモランドゥム」と題してコミンテルンの機関誌を通じて大々的に宣伝した。そのためにソ連側は、ノモンハン戦争は、日本がその一大侵略計画を実行に移す第一歩だと見る前提で、この戦争を語ってきたけれども、私はそれを信じることはできない。

そのときの関東軍のかまえは、一部の参謀たちによる単に思いつきの好戦的な冒険主義に近い、定見のないずさんなものだったというのが私の考えである。それに対してソ連のかまえははるかに深く、思慮深く長期にわたる見通しをもっていた。そのことをノモンハン衝突に至る前史にさかのぼって明らかにしようとするのが本書の目的の一つである。

話をもとにもどして、最初の衝突の当事者について考えてみよう。

ハルハとバルガの境界

満洲国側興安北省警備軍はモンゴル民族の一支族であるバルガ族とダグール族を主体としており、一方の敵対者、モンゴル人民共和国軍もまた、モンゴル諸族のうちでも基幹をなすハルハ族からなっていた。

したがって対峙しあうバルガ族とハルハ族とはともにモンゴル民族を構成する同族であって、その相異は、あえていえば部族的なものでしかない。

小さなものさしで見れば、バルガ族とハルハ族との間には部族的な対立はあるし、またさらにもっとこまかい議論をすれば、バルガ族の中にも「陳《チン》(ホーチン＝旧)バルガ」と「新《シン》バルガ」の区別があり、今日の中国の行政区分においても、この区別はそのまま継続されている。すなわち「陳巴爾虎《チンバルガ》旗《ホショー》」と「新巴爾虎《シンバルガ》旗《ホショー》」に区分されている（四五ページ参照）。「旗」とはモンゴル人の伝統的な、軍制をかねた社会組織にもとづいて、清朝が制度化した行政単位である。

一九一一年に清（マンジュ族）朝が崩壊して、中華民国となる以前は、バルガもハルハもひとしく清朝の統治を受けており、そこではすでに述べたように、バルガとハルハの境界は部族的境界にすぎなかった。さらに言えばバルガ族は、もとはシベリアのブリヤート族に起源をもっており、ロシアがシベリアの支配を拡げるにおよび、それを嫌って南下し、ハルハ諸族の領内に入り込んで、そこに領地を与えられた。さらにその後、清朝雍正《ようせい》帝（在位一七二二～一七三五）の配慮により、隣接のマンジュの西部、すなわちノモンハン戦争の舞台となった、ホロンボイルの地に一八世紀ごろ移住してきたものである。

族境から国境へ

このように南シベリアのブリヤート、マンジュ、モンゴルの広い一帯に、切れ目ない連続体をなしていたモンゴル諸族の居住空間は、ウラルを越えて東進してきたロシアの出現によって、一七世紀末に、まず、ロシアと清朝の間で分割された。分割の目印になるのは、歴史年表を飾る、一六八九年のネルチンスク（ロシアがネルチャ河畔に作った砦の町）条約や、一七二七年のキャフタ（ロシアと今日のモンゴル国との国境の町）条約などである。

しかしこのような、ロシアと清による、国境画定がもたらした分断は、土着の住民の移動を決定的に妨げるものではない、まだゆるやかなものであった。ところが二〇世紀に入ると、部族の境界、いわば「族境」は、近代国家の「国境」へと変貌して住民を固定し、かつてない高度な政治的意味を帯びることになった。それはモンゴル諸族にとっては受け入れがたいものであった。

このハルハとバルガの二つのモンゴル部族が相互に自由に往来し、二つの部族が浸透しあっていた部族的境界を分断したのが、まず外モンゴルの独立(一九二一年)にはじまるモンゴル人民共和国の出現(一九二四年)、次いで、それにほぼ一〇年おくれて登場した満洲国(一九三二年)であった。

さらに、それぞれの「国家」の背後には、ソ連と日本という強大な軍事力をもった「帝国」がひかえていた。モンゴル人民共和国の南から満洲国の東南部に食い込むようにして内モンゴル諸族が分布し、そこにはまた、デムチュクドンロブ(いわゆる徳王《デワン》)を中心とする強力な反漢独立運動の政治的な核が形成されていた。

モンゴル諸族の統一を

これら、大国の間で分断されたモンゴル諸族の間では、いかにしてモンゴル諸(部)族の統一を回復するかが、かつてない大きな課題として登場してきた。——いな、もっと厳密に言えば、モンゴル諸族は、それぞれの地域に出現した外国の勢力を利用しながら、いかに独立を達成するかの課題を、それぞれの方式でどのように解決するかの試みの過程の中で、分断、分割状態に陥っていったのである。

　モンゴル諸族は自分の力だけでは決して統一の夢を果たせないことをよく知っていた。かならずかれらを支援する同盟者、庇護者が必要だということを。しかし、その庇護者は同時に嫉妬深く排他的な占有をねらう者でもあった。かれらは庇護の名のもとにただちに自らの勢力下に置き、他の勢力の介入を許さなかった。

　さて、モンゴル族が自らの庇護者として隣接諸勢力から候補を選ぶとした場合、どのような可能性があり得ただろうか。漢族、あるいは漢族の支配する国家はもはや問題にならなかった。かれらはあらゆる機会をねらって、モンゴル人の牧地に侵入してくる侵略者であり、牧地を農耕地に変えていく、遊牧文化の和解しがたい敵対者であった。この対立は、遊牧対農耕という運命的な文明論的対立の構図の中にあった。

　ロシアはこの点で、漢族よりはずっとましだった。かれらが各地の原住民に課したロシア正教への改宗と、重い税負担という圧力さえなければ、モンゴル人とはうまくやっていけた。ロシア人は決して漢族のように勤勉で貪欲で情熱的な農耕者ではなかったからである。

　ハルハ（外モンゴル）のモンゴル人は、一九二一年に、ソビエト政権が緩衝国としてバイカル湖以東に設けた極東共和国（一九二〇～二二）とソビエト赤軍の援助を得て、中国からの独立を達成した。これがハルハ族諸侯の選択であった。この独立のハルハ・モンゴル国が、ソビエト化の道を歩む「モンゴル人民共和国」となったのは、一九二四年であった。この年の秋、ハルハ・モンゴル人の精神的な支えであった活仏、第八代ジェプツンダンバ・ホトクトの死去(毒殺だとの説もある)を機に、コミンテルンはモンゴルのソビエト化の道に決定的に梶を切ったのである。

ところがそれ以降、モンゴル人民共和国の歴代の指導者は、第四章以下で見るように完全に「ソビエト化」されるのを好まず、ときには命をかけて抵抗した。かれらは、モンゴル人民共和国がソ連の占有から解放され、多くの外国からの承認を得て、国際的な認知を得た独立国になることを望んだのだが、コミンテルンもソ連も、モンゴル人民共和国が外国はおろか、国境外の同族との交流を持つことさえ許さず、完全に秘密のヴェールの中に閉ざしたのである。

そこに現れたのが満洲国である。

満洲国の出現！

このような状況のもと、モンゴル人民共和国(以下モンゴルと略す)の東部国境に接して、満洲国が出現した。ところでこの満洲国は、モンゴルのようにエスニック(民族的)な均質性を欠き、その構成は単純でなかった。モンゴルにあってはロシアに接する西北国境部には、数パーセントのタンヌ・ウリヤンハイ族、カザフ族、その他のテュルク系の少数エスニック集団があるほかは九〇パーセントを占めるハルハ族を主体とするモンゴル民族である。今日でも独立モンゴル国は大多数がモンゴル人であるのに、中国の内モンゴル自治区ではモンゴル族は一〇パーセントに満たない、名のみの「モンゴル」自治区である。シベリアのブリヤート共和国においてもブリヤート人の割合は二〇パーセント程度に落ち込み、しかもその半数はロシア語しか話せなくなっている。

それにひきかえ満洲国は「五族協和」をスローガンとする多民族国家であった。五族とは漢族、マンジュ族、モンゴル族、日本人、朝鮮人であるが、満洲国の土着民族は、マンジュ族に親縁なソロン(エヴェンキ)族などツングース系諸族とモンゴル族であった。

日本は、このマンジュ族を皇帝にすえたのみならず、モンゴル諸族——バルガとダグール居住地帯には「蒙古特殊行政地域」を指定して興安局の管轄とすることによって特別の地位をあてがった。民族問題にうとい日本が国外で行った民族政策の中ではかなりできのいい方策だったと言えよう。それは、あとで述べるように、アメリカの地理学者オーエン・ラティモアでさえも、遊牧民の保護の視点から満洲国の誕生に期待を寄せるほどであった。といっても、それは満洲国全体ではなく、興安四省に限ってのことであったけれども。

満洲国の民族政策を見るには、これを「満洲国」とひとくくりにすることなく、もう少しくわしく見なければならない。満洲国が版図とした、興安嶺より東の地域は漢化が進み、ほとんど漢族地帯となっていたのに対し、興安嶺沿いの地域、とりわけその西側、すなわち、モンゴルに接する一帯は、バルガ族などが生活する純遊牧地帯で、まだ漢族の侵入が抑制されていた地域である。

次の章で述べるように、このバルガ族の居住地域は、ハルハに劣らず伝統的に強力な反漢・独立闘争の先進地帯であった。満洲国は、このバルガ族の居住地帯、すなわちホロンボイル一帯を、一種の自治区として、満洲国の他の地域とは異なる、特別な行政を行った。そこには、非漢地域として興安省の名を与え、それを北、南、東、西の四つの分省に分けた。それぞれの分省は、決して単一の興安省にはまとめられない生業、文化のエスニックな特徴によって分かたれていた。とりわけホロンボイル草原と、そこに牧するバルガ族の興安北省は、国境を接するモンゴル人民共和国にとって、ソ連統治方式とコントラストをなす民族自治のまばゆいショーウインドーになった。

国境によってへだてられていた満洲国のモンゴル人、すなわちバルガ族やダグール族と、モンゴル人民共和国のハルハ族はたえず、異なる主人のもとでのたがいの生活状況を見比べていた。一方の主人は日本であり、他方はソビエト連邦とコミンテルンであった。

交流のきっかけを求めて

モンゴルの遊牧民のみならず指導者たちも、東に出現した満洲国のなりゆきを食い入るように注目していた。とりわけチベット仏教(ラマ教)を禁圧し、寺廟の財産を没収し、牧畜の集団化を強行するソ連、コミンテルンの政策に反対するモンゴル人の目には、満洲国は楽園のように見えた。あとで述べるように、一九三二年、すなわち満洲国の誕生とともに、モンゴルの兵士が武装したままで脱走し、越境して満洲国に入るというようなできごとがささやかれるようになった。それが全く根拠のない話ではなかったことは、満洲国に行ってはみたが、失望して帰ってきたというような筋立ての宣伝映画がモンゴルで作られたことからも推測される。

たいへん興味深いことに、モンゴルの指導者たちもまた、満洲国との交流のきっかけがほしいと渇望していた。繰り返される国境衝突も、そのような背景から見ると、モンゴルにとっては、ソ連の厳しい監視のもと、ホロンボイルのバルガ族との極めて限られた条件下での、異常ではあるが接触できる場面であった。しかし、そのようなコミンテルンの指示からの「逸脱」は、死をもってあがなわれなければならないソ連への裏切り行為であった。こうしたできごとは、ソ連崩壊後、とりわけこの一〇年ほどの間に、史料にもとづいて、いまやおそれることなく語られるようになったのである。

それに対し、満洲国はモンゴルとの間に外交関係を樹立し、双方の首都にそれぞれの外交機関を設けることをモンゴル政府に要求し続けたが、そのような要求を万一受け入れたら、モンゴルの政治家は死を覚悟しなければならなかった。このことは本書でくわしく述べられるであろう。

そしてこの限りでは、満洲国の方がソ連よりも、モンゴル民族に対してより公平にふるまっていたように思われる。

満洲国の正体

しかし日本側とても、こうした満洲国とモンゴル人民共和国の交流が国境の両側に住むモンゴル族自身の願望にもとづいて行われることは断じて許さなかった。それを決定的に示したのが、ノモンハン戦争に至る道をどうにかして閉ざそうと尽力していた、興安北省省長という最高の地位にある凌陞《リンション》を「通敵」のかどで、関東軍が捕らえて処刑してしまった事件である(一〇九ページ参照)。国境紛争をいかに戦闘に至らずに解決するか、その方途をさがそうという、満洲国、モンゴル両国代表の会談のさなかに、関東軍憲兵隊はいきなり、満洲国側の代表である凌陞を捕らえて処刑したのである。

これは多くの心ある日本の当事者にとっても悲しむべきできごとであった。各方面からのさまざまの助命の動きをも無視して大急ぎで行われた処刑の決定は、時の関東軍参謀東条英機によって行われたとの情報が多い。

モンゴル人は、この事件によって、満洲国の正体をはっきりと見とどけた。どんなに親日的に考えようとしても、満洲国の傀儡《かいらい》性はいまや疑いないものとなったのである。一九三六年、ノモンハン戦争が発生する三年前のことである。満洲国のモンゴル人は、この瞬間に、日本への信頼をほぼ完全に失い、満洲国への忠誠心を捨てていた。

ではモンゴル人民共和国のほうはどうか、そこでもまた、満洲国との国境画定会議にのぞんで、平和を模索した人たちのすべてがノモンハン戦争の開始までに生存を許されず処刑された。それどころか、ノモンハン戦争のさなか、六月に、前線を指揮していた全軍副司令官ロブサンドノイが逮捕されて姿を消した(ゲンデン 151)。わずかにながらえていた人たちも一九四一年には完全に消されたのである。

第二章　満洲国の国境とホロンボイル

一九三二(昭和七)年、満洲国が出現したために、日本は、とりわけ日本軍はそれまで一度も経験したことのない不慣れな国境問題を抱え込まなければならなかった。国境は一部はソ連との間に、また一部はモンゴル人民共和国との間にあった。

ソ満国境と満モ国境とのちがい

ソ連軍と対峙することとなった四〇〇〇キロメートルにわたる国境線は、ウスリー河―アムール河(黒龍江)―アルグン河がつくる天然の境界を主軸としているために、まだ比較的明快だったと言えよう。

それに対して、満洲国とモンゴル人民共和国との国境線は、日本がかつて経験したことのない特異な、類のないものだった。日本人的な感覚から、国境近くに流れるハルハ河を国境にするのを当然としていたが、実際には国境線には川もなく、起伏の少ない地域だった。わずかに、「ノモンハーニー・ブルド・オボー」と呼ばれる塚《オボー》が目印になっていた。それは、満洲国がもつエスニックな混質性に由来する。このことが、隣接するモンゴル人民共和国との国境線での単なる小競り合いから、ノモンハン戦争という一大戦争に発展する原因になったのである。

それなのに関東軍は「国境線明確ナラサル地域ニ於テハ　防衛司令官ニ於テ自主的ニ国境線

ヲ認定シテ之ヲ第一線部隊ニ明示シ……」(満ソ国境紛争処理要綱)と粗略な指示を出すなど、軍事衝突という重大な国際問題に対処する資格を最初から欠いていたのである。国境線というものが決して「自主的に」「認定」できるものではないし、またしてはならないことは、敗北によって思い知ることになる。

ソ連との国境

満洲国とソ連との国境をなす大河、たとえばアムール河は、ところによっては川幅が三、四キロにも達する大きさであって、それ自体で疑う余地のない自然の境界をなしているから、国境紛争の原因になりにくいように思われる。ところが問題は、川の中にある数えきれないほどの島の所属で、その数は一六〇〇を超えると言われる(岩下119)。

日・ソ両軍の衝突が起こったのはこのような島の領有をめぐってである。一九三七年六月の乾岔子《カンチャーズ》島事件と、ソ連側ではハサン湖事件と呼んでいる、一九三八年七〜八月にかけての張鼓峰事件である。

このマンジュの地の領有が、満洲国から中華人民共和国に変わっても、国境衝突は変わりなく続けられた。私の記憶に新しいのは、一九六九年三月に起きた、中国語で言う珍宝島、ロシア語で言うダマンスキー島をめぐっての事件であった。

私がこの事件を忘れないのは、それから数年後、黒澤明が長い失意の状態にあったとき、ソ連の友人たちに招かれてモスクワで休養するかたわら、その時に作った映画「デルス・ウザーラ」(映画のなかではデルスー・ウザラーと発音されている)が日本で公開されたときのできごとと重なりあうからだ。

この映画は、ロシアのウスリー河地方を探険調査したアルセーニエフ(一八七二〜一九三〇)が、ナナイ人の狩人を主人公にして、一九二二年に発表した古い作品にもとづいて、一九七五年に作られたものだが、中国政府は、この映画に登場する漢族の男の描き方はわが人民を侮辱するものだと激しく非難した。すると、日本の日中友好人士、さらに大学生、ときにはいわゆる北京派と称される大学教師までが、映画館の前に人垣を作って、この映画を見ないように妨害するというできごとがあったからである。

ソ連のウスリー地方には、いくつもの漢語の地名が残っていることから、その地にはすでに清代に進出していたと思われるかなりの漢族が住んでいたことがわかる。ソビエト時代になってからロシア風に言いかえられたが、アルセーニエフの探検記に登場するリーテャンゴウ、ウレンゴウだのと記された地名の「ゴウ」は漢字では「溝」の字で書かれていたもので、またオズへ、ウラへなどの「へ」は漢語の「河」を写したものである。こうした地名は明らかに、最初にこの地に入植したのがロシア人ではなくて漢族だったことを明らかにしている。

中国政府がこの映画を不快と感じた背景には、漢族がロシア人に排除され、次には国境が画定されていったという歴史を想起させる点があったからとも思われる。そもそもアムール河の南に清朝が追いやられ、帝政ロシアの領有になったのは、アイグン条約(一八五八年)、北京条約(一八六〇年――この年、沿海州はロシアの領有となった)など、中国にとって一連の屈辱的国境条約によるものだ。

日本は満洲国を作り出すことによって、この地の支配者となった結果、後々に問題となる、この種の不慣れな国境問題という負債を背負い込んだことに気づかなかった。そこ満洲《マンジュ》の地はオーエン・ラティモアの表現を借りれば「紛争の揺籃」あるいは「紛争の温床」であるのに、関東軍はすべては軍事力が決定すると思いこんでいた。

少なくとも「ソ・満国境」問題の一部は、(清朝以来の)露・清間の伝統的な難題を引き継ぐことを意味したのである。

問題はモンゴル人民共和国との国境

ソ・満国境と比べてみると、モンゴル人民共和国と満洲国との国境は、二〇世紀に入って生じた全く新しいもので、この国境はこの国の輪郭が作られた一九二一年に発生したと言ってもよく、あるいはより実体を伴ったものとしては、モンゴル人民共和国が宣言された一九二四年と言ってもいい。それはこの国が、もと清朝の領土であった外モンゴルを土台にして創られたからである。このモンゴル人民共和国は、少なくとも形式上は、ソ連とも中国とも異なる、新たに出現した独立国のはずであるが、あとでくわしく述べるように、一九二八年ごろから、ソ連が完全にコントロールし、外国人の立ち入りを許さず、ソ連が意のままに支配した閉鎖されたマリオネット(傀儡《かいらい》)国家であって、ラティモアは、その状態をソ連の「衛星国」であると名づけた。

外国の政治評論家たちは、モンゴル人民共和国を「ソ連の第一七番目の共和国」(当時ソ連はまだカレリア・フィン共和国を解消、吸収していなかったから、一六共和国の同盟体《ソユーズ》であった)と呼んだのだが、ラティモアはそのような扇情的な呼び方をやめて、より控えめな「衛星国」という名を発明したのである。

満洲国がかかえた国境問題は、ソ・満国境よりも、この、モンゴル人民共和国との国境のほうにあった。それはかつての露・清の国境を引き継いだソ・満国境とは異なり、まったく性質のちがった国境問題をかかえ込むことになったのである。

問題はどこにあるのか。それは国境をへだてた両側に、エスニックには同じモンゴル人が住んでいたし、今も住んでいるということにある。方言的差異を無視すれば、かれらは何よりも同じ言語を話し、同じ文化をもち、宗教をも共有する同族である。

族境が国境になる

いわゆるソ・満国境は、自然の境界がそのまま国家の境界に対応しているから、両国の勢力はここでむき出しに、いわば明快に対峙しているのに対し、満洲国とモンゴル人民共和国との間に発生した国境は、部族の境界を国境に代えて民族を分断する結果をもたらした。近代国家の形成に遅れた民族《エスニック》集団の常として、その中の部族的、種族的相異は温存され、どこか外からの勢力が必要とすれば、いつでもそれを際立たせて一大抗争に発展させうる可能性を宿している。

さて、すでに述べたようにモンゴル人民共和国側の住民はハルハ族であり、満洲国側のモンゴル人はバルガ族と呼ばれる。

バルガ族は、自分たちはハルハ・モンゴル族とは親縁であるけれども、独自な存在だと考える面がある。だから、バルガ族とハルハ族の間に微妙な差異がある——この差異は、矛盾として存在しつづけ、無視はできないけれども、しかしたとえば漢族のような強大な異族が侵入し、その支配を受ける危機を感じると、バルガ族とハルハ族との隔たりはほとんどゼロに近くなり、完全に同一の民族であるとの自覚が現れる。何よりも、この自覚を補強するのが「モンゴル」という歴史的民族名である。

このハルハ族とバルガ族との部族的境界(民族的境界ではないという意味で)が、まずはモンゴル人民共和国の、次いで満洲国の出現によって国家の境界に変貌したのである。言い換えれば、族境が国境へと転化し、分断された民族の間に生じた衝突がノモンハン戦争であり、ノモンハン戦争の舞台はそのような場所であったことを理解しておくことが重要である。

そこで以下に、バルガ族とは何か、また、かれらの居住地ホロンボイルとはどんなところかについて見ていこう。

モンゴル諸族の居住地帯は切れ目なく連続した一つの巨大な複合体をなしている。そこは、それぞれが、異なるさまざまな異民族、異文化に接しあいながら、いくぶん異なる色あいを含む文化空間であるが、モンゴル文語という書きことばと、チベット仏教(ラマ教)を共有することによって統一(感)が保証されている。

バルガ族とホロンボイルの特徴

かれらの生活の基盤を最も強く脅かすのは、その固有の生活形態——牧地と家畜からなる遊牧生活空間に対する漢族の農耕文化である。

この観点から見ると、長城に接する内モンゴルが最も早くから漢族によって農耕化され、ハルハ、すなわち外モンゴルは比較的、農耕の弊害から守られている。さらに、ロシアの支配下に入ったブリヤートは牧畜のほかに狩猟、漁労と仏教侵入以前のシャマニズムが濃厚に維持されている地域である。こうした生活基盤の特徴と方言的相異によって、モンゴル諸族はハルハ(外モンゴル)、内モンゴル、ブリヤートと地域名をあげて示すことができるが、ここで忘れてはならないのはバルガ族である。

バルガ族の居住空間は、その西に接するモンゴル国に寄った二つの大湖、ホロン湖とボイル湖に特徴づけられる。北のホロン湖はまたダライ湖《ノール》とも呼ばれ、湖水面積二三三九平方キロメートル、すなわち琵琶湖の三倍以上もある、中国全体から見ても第五位の大湖である。南にあるのはボイル湖で、その全体はモンゴル国領内にあり、六七〇平方キロの琵琶湖に比べて、六一五平方キロとやや小さめである。

この二つの湖の名を併せた、地理的な呼称がホロンボイルである。日本ではしばしば、「ホロンバイル」と呼ばれるのは、ボイルが漢語で貝爾と書かれるからで、この「貝」の字は日本語では「バイ」と読まれるから、バイルとなる。中国語で読めばベイ(bei)だから、中国ではベイルと呼ぶが、モンゴル語ではbuir《ボイル》でなければならない。

ホロンボイルという地名に対して、ハルハのモンゴル人、さらにロシア人はここをバルガと呼ぶことが多い。この呼び名は、そこに住むバルガ・モンゴル人、すなわちバルグートの名にちなんでいるだけに、その歴史的、エスニック的な背景をよりはっきりと示している。

服部四郎のホロンボイル方言調査

戦後の日本を代表する言語学者、服部四郎(一九〇八~九五)が最初の重要な、モンゴル語についてのフィールドワークを行ったのが、まさにこのホロンボイルである。

服部は一九三四年から三六年までホロンボイル、とりわけその中心地ハイラルに滞在し、モンゴル語を主とする言語調査を行った。服部がその際、バルガについての情報を得たのはコルマゾフ著『バルガ』(一九二八、ハルビン)であり、それによれば、「バルガなる名称は、ハルハ蒙古人が仏教をとりいれた後に、未だ薩満〔シャマン〕教を信じていた蒙古人一般に対し与えたもので「未開」を意味し侮蔑的であった……」(服部④)と引用している。

珍品、バラーノフの『バルガ』

私はある偶然なきっかけから、大阪外国語大学(現・大阪大学)の石浜純太郎文庫を調べているうちに、このコルマゾフより一六年も早く、一九一二年にやはりハルビンで、国境警備隊ザアムール軍管区が出版した、その名も『バルガ』と題した一冊があるのを見出した。著者はA・バラーノフと言い、明らかに辛亥革命とそれに続いて生じたバルガの独立運動後の状況を意識して書かれたものであるが、わずか六〇ページの小冊子なりとはいえ、清時代の古地図なども参照した重厚な内容である。

石浜純太郎(一八八八〜一九六八)が注目すべき在野の東洋学者であることを、私は一橋大学で上原専禄先生からたびたび聞いていたので、これが大阪外語に寄贈されると聞いて、すぐに調べに行ったところ、本書を見出したのである。一九七九年に『石浜文庫目録』が刊行されたが、その中にこの『バルガ』は収録されていない。あまりにささやかな外見なので見落とされたのであろう。本も人間と同じで、外見がみすぼらしいからといって、ばかにしてはならないのである。この文庫にはたとえばイディッシュ語の新聞まであって、なぜこんなものまでが収められているのだろうと思わせる、この不思議なコレクションについては「石浜文庫の『ビロビジャンの星』」(田中『法廷にたつ言語』岩波現代文庫)を参照していただきたい。とにかく、目録の編集者によって見捨てられたこの『バルガ』は石浜文庫の中でも珍品中の珍品である。

このバラーノフはじめ、他の多くの研究書によると、バルガ族はもともとバイカル湖のブリヤートから移住してきたブリヤート人である。私はその原郷はバイカル湖の北東岸のバルグジン地方であって、バルガとは、それにちなむ名称であると考えている。ちなみに、バイカル湖の東岸に沿って北から南へ走るバルグジン山脈は、かつて、ライプツィヒの毛皮市場で注目を浴びた、高価な毛皮を産する黒テンの棲息する原始の保護林地帯であり、日本でも愛唱される「聖なる湖バイカル」でも「エイ　バルグジンの風よ吹け！」と歌われているほどのなじみの地なのである。

さて、今日中国で言う陳巴爾虎とは、モンゴル語でホーチン・バルガ、すなわち古いバルガで、シン・バルガとは、新しいバルガという意味である。なぜ旧と新なのか、前者はすでに一七三二年ごろまでに移住をすませて清朝の臣下となり、後者は、ハルハ・モンゴルを経てバルガに入り、一七三四年に清朝に服属したものである。

バラーノフは、バルガとは、ハルハ・モンゴル人から見ると、仏教を受け入れず、未だに文明のとどかない、遅れた異族という響きをもつ呼称だという。服部四郎の引くコルマゾフの記述はこれにもとづくものだろう。

ホーチン・バルガに対してシン・バルガのほうは、ロシアから逃亡してまずハルハ・モンゴルに入ったために、そこですでに、シャマニズムを捨てて仏教徒となっている。

一九世紀末から起きた、こうした遊牧民の越境問題に対処し、互いに越境者を交換するために、一七二七年にキャフタ(ブリン)条約を結んだ以降のできごとである。

バルガ族は、このように異族の中にあって独立を失わぬ長い歴史的背景をもっていて、清朝の配慮によって漢族の流入を防ぎ、最も遊牧生活がよく守られた地域であった。二〇世紀に入っても、いかに独立不羈《ふき》の気風の強い土地であったか、その盛んな独立運動の歴史が示している。

独立運動の拠点—バルガ・ホロンボイル

清朝が倒れた一九一一年、ハイラルにあった、たった一つの漢族の学校を改編して、八つの学校を設け、ここで漢語の授業が始められた。バルガ族の王侯たちは、これを漢化政策のはじまりとして警戒し、九月には王侯会議を開いた。

かれらは清の雍正帝が、バルガ族に牧地をあてがう際の約束、すなわち漢族による開墾と農耕化を防ぐという約束が破られることに抗議した。かれらの要求は、漢人官吏を追放し、これまで通り、バルガ族の手に行政をまかせること、漢族の植民を禁ずること、関税収入をバルガ族に与えることなどであった。

これらの要求が拒否されると、翌年一月には、独立宣言を発して蜂起し、ハイラル、ルービンフ(臚浜府)——後にロシアが鉄道駅を設けたときにその駅の名をマンヂュリア(Маньчжурия)と名づけ、それを漢字で満洲里と写した——など主要な町を占拠した。

前記『バルガ』によれば、王侯会議はまた、こうした反漢蜂起の中で、黒龍江省からバルガが分離し、独立することをめざしてロシアの保護を求めたという。しかし当時のロシアは、そのような火中の栗を拾うことで中国との間に問題をかかえ込むことを避けたかった。むしろ、中国の新体制の中で新しい方途を見出すようバルガ族に対して答えたという(バラーノフ58)

バルガは辛亥革命を好機とするモンゴル諸族独立運動の中でも指導的な役割を果たした。すなわち「一九一二年はじめ、独立宣言を発するとともに、ハルハの活仏政府への帰属を宣言した。南(内)モンゴルの旗《ホショー》の大部分がそれに続いた。しかしこれらモンゴルの土地の住民の愛国の気運は阻止された。北京政府がそこに軍隊をさし向けたからである」(チミトドルジーエフ158)。

ホロンボイルの独立意識はその後もずっと維持され、そのことをラティモアは「現在(満洲国の一部となった)興安省に組み込まれているバルガ地方は、歴史的には一つの独立したモンゴル地域で、いまだかつて内、外いずれのモンゴルとも完全に融合したことはない」と、バルガの独自・独立性を強調している(ラティモア一九三四、邦訳26。ここでは原著を参照して訳し直した。以下同様)。

ここでラティモアが強調しているように、バルガ族は自らを、ハルハ(外モンゴル)にも、また内モンゴルにも、ましてやロシアのブリヤートにも属さぬ独自のモンゴル族だと考え、また同時に、他のどのモンゴル族とも関係のある一族だと考えていた。

さらに、ホロンボイルには先住のダグール、エヴェンキ(もとはソロンと言った)などの諸族が住み、このことが、バルガの独自性をさらに強調していたと考えられる。このような背景を考えると、一九一一年に辛亥革命で清朝が崩壊したときに、ハルハ(外モンゴル)でも内モンゴルでも、それぞれ独立運動が発生したが、バルガもまた、それとは別に焦点の一つになったのには十分すぎるほどの理由があったのである。

ホロンボイルの英雄ダムディンスレン

この期の動きの軍事リーダーになったのはダムディンスレンである。ダムディンスレンはシン・バルガの、旗の下の行政単位、ソムの長、ザンギを父として一八七一年に生まれた。辛亥革命の年、一九一一年、かれは四〇歳になっていた。

その年の九月、バルガの諸侯は参集して、次の五項目をかかげて、独立を宣言した。

一、バルガの地より漢人の役人を追放し、ホロンボイルの統治権をバルガ族の手に入れる
二、バルガより漢族の軍隊を放逐する
三、漢族の植民行為をやめさせる
四、バルガに居住する漢族であって、バルガの統治に服するものはこれを容れ、服さざる

ものは放逐する

五、通関税、租税などの全歳入類はホロンボイルの公庫に入れる

同じ辛亥革命を受けてハルハ・モンゴルが独立を宣言したのが一二月一日であるから、ホロンボイルは、清朝支配下のモンゴル諸族のうちで独立の声をあげた最初の例となった。

ダムディンスレンはコンステンが描き出したような、単に復讐心にあふれた軍事指導者であっただけでなく(『草原の革命家たち』53)、政治的判断においてもすぐれていた。すなわちバルガの独立は、権威ある活仏のいる首都クーロン(庫倫、イヘ・フレー、今日のウランバートル)を擁する外モンゴルを中心に行う道しかないと知っていた。そこで、バルガを代表する七人の一人としてクーロンに向かい、統一を申し出た。クーロンの外モンゴル自治政府はダムディンスレンを政府の首脳の一人に加え、外務副大臣の席を与えた。

ダムディンスレンは西部辺境コブド地方の中国軍一掃のための西征を率いた。この時のダムディンスレンの雄姿は、ちょうどその地方を旅行中だったドイツ人のヘルマン・コンステンの二冊の、上下あわせて六〇〇ページにもなる大著『ハルハ王国のモンゴル人遊牧草原』(一九一九、ベルリン)に写真も加えて闊達に描き出されている。この本に添えられた写真は、ダムディンスレンの雄姿を今日に伝える唯一のものである。

ダムディンスレンの生涯は、徐樹錚率いる中国軍による惨殺によって閉じられる。すなわち、一九一七年のロシア革命の混乱によって、ロシアの支えを失った外モンゴルに自治をとり消させ、クーロンを占領した中国軍によって捕らえられ、処刑されたのである。この草原の野生そのままに生きた奔放な英雄の生涯については、私の『草原の革命家たち』(中公新書)に譲る。

「ホロンボイルは中国に非ず」

ホロンボイルに入ったバルガ族は雍正帝のもとで勅令によって高度な自治を与えられた。清朝としてはそのようにして自治を与えなければ、せっかく帰順したバルガ族がまたロシアに逃げ帰ってしまうのではないかというおそれがあったからである。

バルガは清朝八旗制に従って、清朝の行政組織に組み入れられたのであるが、それが辛亥革命後に「中国＝漢族」の行政組織になってしまったのを、かれらが得た自治権の侵害と受け取るのは自然なことであった。

自分たちは清朝＝満洲族《マンジュ》に服属したのであって、漢族の支配を受け入れたのではないというこの考え方は、チベットにも共有されていた。しかしそれがモンゴル族、とりわけバルガのもとで大きな政治運動となって高揚した背景には、ロシアというもう一つの強力な後ろ盾が、バルガの独立意識をいっそう高めたという事情がある。「バルガはいつでも中国《キタイ》とはかかわりがなく、かかわりがあるのは満洲族《マンジュ》＝清朝だけである」(Барга была всегда совершенно чуждой Китаю и имела отношение лишь к Маньчжурии バラーノフ 56）という主張を理解するのでなければ、当時のバルガ族の運動を理解したことにはならないのである。

ホロンボイルはなぜこのように過激に独立の気風に燃えたったのであろうか。それはモンゴル人の遊牧生活のための草原が比較的よく保たれているうえに、農耕漢族が押し寄せてくる最前線だったというのが一つの理由であろう。

遊牧モンゴル族と農耕漢族の対立

一九七〇年、私は内モンゴルを旅行したときに、モンゴル人たちに、モンゴルで一番いい牧草地があるのはどこだろうかと聞いたことがある。それはもちろんホロンボイルだとも、というのがその答えであった。多くの人がそのように答えたので、いつの間にか、私にはそのようなイメージができてしまった――ホロンボイルという、このオトのひびきの中に、すでに草の豊かさがひびいているような感覚になってしまったのであるが、もしかして、そう答えた人たちは、ホロンボイルの出身者だったのかもしれない。

モンゴル人のホロンボイルの草ほめは、一つには漢族が入ってこなかったため、ほとんど農耕が行われず、牧草地がそのまま残されていたことに由来する心理的な要因もある。

遊牧民から見た農耕の漢族に対する、ほとんどトラウマに近い恐怖心は数百年にわたってつちかわれた民族的な伝統になっている。そこから、多発したモンゴル人の反漢暴動をラティモアは次のように説明している。

漢族によるモンゴル植民はモンゴル人の絶滅を意味するものであった。一八九一年から一九三〇年にかけて起った、数えきれないほどのモンゴル人の蜂起はまずこのことによって説明できる。蜂起の目的は地域自治であったり、満洲帝国の復興であったり、内外モンゴルの統一など、指導者はいろいろと宣言したが、いずれも漢族の入植がもたらす重圧、漢族の横暴がますます増大する一方で、モンゴル人の絶望感がますます深まることで不可避となったものであり、家畜のように死ぬくらいなら、いっそ戦って死んだ方がましだという悲痛な思いとなって爆発したものである。(ラティモア一九三四、邦訳94。原著114)

マンジュ族の清朝政府は漢族が遊牧地帯に無制限に侵入し、牧草地を耕地に変えて、遊牧民の生活を不可能にしてしまうこの重大な弊害を防ぐための方策をとっていた。しかし一七世紀になると、農耕地帯における人口増のために、耕地を求めてモンゴル人の伝統的な牧地に侵入する農耕民の波はおさえがたいものになっていた。しかも、ねらわれるのは、最も草の成育のいい、遊牧民にとってもかけがえのない牧草地であった。

かたや農耕と比較して、遊牧は生産性においておよぶべくもなく、さらに農耕は勤勉、計画性、労働作業の綿密さなど、人間生活におけるさまざまな徳性をはぐくむものになっている。しかも、この食料の生産性の高さは人間そのものの生産性と深く結びついている。

遊牧は死滅すべきか

私はボン大学に留学中、独立運動に失敗して、若いときに内モンゴルから脱出して諸国の大学で教えているというハルトードさんの家にしばらく寄宿させてもらったことがあるが、かれが、故郷から離れてすいぶん時間がたった今でも、どうしても見てしまうという悪夢をこんなふうに話してくれた。

——ある朝、目がさめてみると、地平線の彼方から漢族の女たちが、手に手に赤ん坊をかかえて押し寄せてくる。その列は地平線にびっしり並んでますます近づいてくる。恐怖心に押しひしがれて息が詰まりそうになって目がさめる。

そして、ハルトードさんは私によく言った。田中さん、漢族は武器も何もなくてもモンゴル人を滅ぼすことができます。牧草地を耕地に変えて、そこでどんどん子供を産む。私たちはどこで生きていけますか。解決方法は、モンゴル人民共和国のように、自分の独立国をもつしかないのですと。

この悪夢は、残念なことに二一世紀に入った今日、現実になってしまった。今日、中国の内モンゴルではいたるところで、遊牧生活の断末魔が演じられており、そのことを描き出した、痛切な映画が作られ、私たちの前に送りとどけられている。

私たちは、そのことを、支配する農耕民による遊牧民の排除、抑圧という図式だけではなく、遊牧は死滅すべきかという文明の根本的な問題として、またさらにすすんで、民族の独立の意味という点からも考えなければならない。

富民泰《フーミンタイ》―バルガ代表として

独立の夢断たれたホロンボイルが次に求めた道は、外モンゴルに出現したモンゴル人民共和国との合併であった。そのことを別のことばで表現すると、ノモンハン戦争の原因となったハルハとバルガとの境界をなくすことであった。

モンゴル人民共和国を率いるモンゴル人民党は、一九二四年八月から九月にかけて第三回党大会を開き、その時以来、人民党は人民革命党となった。この大会には、バルガ・モンゴル人民革命党員富民泰《フーミンタイ》が招かれ、大会初日の八月四日に、次のような祝辞を述べている。それは、中国からの独立を達成したハルハ(外モンゴル)にならって、バルガもまた異族の支配を脱し、ハルハとともに「一つの家」となる願望を述べたものである(「モンゴル人民党第三回大会詳録」24)。

諸君の外モンゴルがシナの支配を脱して自由を得たのは、水難を逃れて岸の上に立ったのと同様、我ら内モンゴルとバルガがシナの掌中にあるのは、水に押し流されて狼狽の極にあるのと異ならず、共に岸の上に逃れた同根の民族、モンゴルの兄弟である諸君たちが、モンゴル人たちをこの水難から引き揚げてくれるよう熱望している。

モンゴル人民党の事業万歳！

モンゴル諸族の統一と発展万歳！


富民泰のモンゴル名はボヤンゲレルと言い、当時、モンゴル人は、漢化の中で、このように漢名も用いながらも民族名を維持しようとしていた。

ところで、ロシア、中国の間に引き裂かれているモンゴル諸族を統一しようという思想と運動は、当然ながらソビエト、中国いずれにおいても、最も反動的、反国家的、反人民的として指弾されるもので、一九三〇年代、モンゴルにおいても極刑をもって報われたものである。これはロシア語で汎《パン》モンゴル主義と呼ばれた。「パン」とは、ギリシア語 παν に由来するもので、その「全体の、あまねく」という意味を漢字で「汎」と写す習慣が生まれた。そうして、ソ連が最も恐れたのは、ノモンハン戦争をきっかけとしてこのパン・モンゴル的感情が再び現実感をもって動きはじめることであった。

ノモンハン戦争前夜に、何千というモンゴル人が、この名のもとに処刑されるという、恐怖の犯罪名になったことを忘れてはならない。

英雄メルセーの消息

富民泰の盟友で、ダグール族のメルセー(漢名＝郭道甫《クオダオフ》)は、ホロンボイルの独立運動家として、外国にもよく知られるようになった。かれは、バルガと外モンゴルの連帯を、一九二八年の反漢蜂起によってくっきりと示しただけでなく、またその政治的主張を論文によって表すことができた。ラティモアは「一九二九年彼は、京都で太平洋会議が開催された際、漢文を以て「蒙古問題」と題する貴重なパンフレットを公にした」と述べ、知己であったらしいメルセーの人となりについて次のように紹介している。

メルセーは郭道甫というシナ名を以て知られているが、当時ほぼ三十歳、まれにみる有識者で、極めて豪胆な人物であった。彼は故郷のダゴール方言(彼はハイラルダゴールの貴族出身である)のみならず、モンゴル語、マンジュ語、シナ語を流暢に話すことができ、また内モンゴル人民党当初の重要人物で、シナの政策をあからさまに攻撃した一書を著しているが、これはモンゴル人の執筆した漢文図書のおそらく最初のものではないかと思われる(ラティモア一九三四 110)。

蜂起に失敗したメルセーのその後の複雑な足どりはここでは省くが、ラティモアが「外モンゴルかシベリアに遁走したのではなかろうかと思われる節がある」(一九三四 111)としているのには、メルセーの生存を期待する気持ちが表れている。しかしその後になって、三二年ごろウランバートルに連行され、日本のスパイとして逮捕、銃殺されたとの風評が伝えられていた。残念ながらそれはおおよそのところあたっていた。

では、メルセーはどのようにしてウランバートルに連行され、どのように処遇されたのか、それに関連した消息が、モンゴルの資料として残っている。党中央委員書記だったルンベの罪状(第五章参照)を調査した、当時の内部保安処の記録がモンゴルに保管されていて(諜報総局文書、ウルズィーバートル70)、そこに、メルセーの名は次のように現れる。

〔ルンベは〕日本参謀部の代表であり、その手先となったメルセーの指揮下で活動していたのみならず、モンゴル内部の反革命中央グループに参加して、モンゴル人民共和国国内で武装蜂起を準備し、とりわけウブルハンガイ州、南ゴビ州と、モンゴルの党、労働組合組織内部で指揮していたうえに、日本軍参謀本部と連絡をとって反〔ソ〕スパイ活動を行う全体計画を作製した。

ルンベは、この調書を自白によって認めるよう、一九三三年から三四年まで激しい拷問を加えられた後、三五年に銃殺された。ホロンボイルの独立のために、ハルハ・モンゴルの人民党

（後のモンゴル人民革命党）との連帯を基礎に旺盛に戦いを進めていたメルセーを、コミンテルンがいかに裏切ったかは、最近、モンゴルで当時の史料の研究が進むにつれて、疑いの余地なく明らかにされた。それにもとづいて、メルセーとウランバートルのモンゴル人民党、コミンテルンとの関係をまとめてみると次のようになる。

メルセーとモンゴル人民党とコミンテルン

すでに一九二二年、メルセーはボヤンゲレルとともにクーロンに現れ、モンゴル人民党の幹部と打ち合わせてから、ホロンボイルに帰って「モンゴル青年党」をひそかに組織した。二三年にはこれがバルガ人民党へと発展した。二四年から二五年にかけて、党員約五〇名をモンゴルの学校に送って幹部の養成をはかった。

二五年に、中国国民党の人物とも妥協しながら内モンゴル人民党を結成し、そこにモンゴル人民革命党の党首ダンバドルジを招いた。ここまでは、ウランバートルとの共同作業は順調に進んでいた。

コミンテルン代表のステパーノフは、バルガの蜂起のためにライフル銃一〇〇〇挺と、銃弾一〇万発を二つの経路で二〇日間のうちに、モンゴル国境からバルガに送ると約束した。しかし、ソ連はこの間に、バルガの独立運動を禁じたので、メルセーの呼びかけに応じた数百戸が、中国軍に追われてモンゴルに逃げ込んだ（ウルズィーバートル 143〜144）。

メルセーはやむなく、張学良と、そのパトロンである日本人タリダ(?)と話し合い、妥協の結果として、バルガに自治権を獲得し、ハン河より西は漢族に耕作を許さないなどの約束をとりつけた。

ソ連、コミンテルンは、このことをもってメルセーは日本のスパイだったと宣伝したのである。本当は、決して日本の思い通りになる人間ではなかったのに。

中国はもちろんだが、ソ連は、ハルハとバルガの統合を、極めて危険な兆候と見た。そこで、バルガに加勢するモンゴルの指導部、ダンバドルジ以下、すべてを右派として追放した後、ダンバドルジはソ連に連れていかれて病院で亡くなった(九九～一〇〇ページ)。たしかにダンバドルジとメルセーとの間には反コミンテルンの立場からする強い共感があったはずだから、この二人をともに同じころ、コミンテルンが標的としてねらったことは誤りではなかった。

獄死したメルセー

では、メルセーはどのようにして処分されたのであろうか。一九三〇年ごろ、マンチューリのソビエト領事館にだまして出頭させ、逮捕し、ソ連に連れていき、一九三四年三月二日、銃殺刑が求刑されたが、一〇年の禁固刑に減刑されて、獄死したということが、最近の研究によって明らかになった。

このような消息を伝えたモンゴルの史家D・ウルズィーバートル氏は、一九三七年から三九年、すなわちノモンハン戦争開戦直前までに、一〇〇〇人にものぼるバルガの内モンゴル人民党員が銃殺されたと、怒りを込めて述べている(145)。
メルセーの名を私が初めて知ったのは、ボン大学に留学中の一九六四年に出たばかりのワルター・ハイシッヒの本を読んだときである。ハイシッヒはその名をMersaiと記しているので、私もそれに従って、訳書の中で「メルセー」と表記したのであるが、とにかくそのくだりを引こう。

あらゆるモンゴル諸種族の全域は一九三〇年代にはすでに漢族の植民によって圧迫され、零落させられた。……さまざまな政治的グループが相互に対立していたが、その原動力はことごとく漢族の行政と不充分な自治への不満という共通の根から発していた。メルセー指揮下の「若きモンゴル人」(ホロンボイル・モンゴル青年党)、ソビエト・ロシアあるいは日本の学校や大学で教育を受けた青年たちは、最終的にはモンゴル人民共和国と合併するに至るべく、より高度の自治を支持していた(ハイシッヒ 306)。

メルセーについてはまた、次のような思い出がある。一九九一年、内モンゴルを訪ねた際に、書店でかれの講演録「蒙古問題」やその他の書物を入手して、郵便で送った。フフホトの郵便局では密封したまま受けつけてもらえたのだが、後に北京で検査のうえ、うち四点が差し押さえられたと知った。そのことは、内モンゴルからの留学生が、当局からの「ことづけ」として私に伝えた。私にその本を売った書店主もまた、当局によって拘留されたと聞いた。そのニュースを電話で私に伝えてきたニューヨークのアムネスティ・インターナショナルは、書店主のその後の消息について何か知らないかと私に尋ねた。

このことによって、私はメルセーがいかに重要な人物であるかをあらためて教えられたのである。かれのパン・モンゴル主義は、ソ連の当局が死をもって罰したのみならず、中国では今もなおその思想を許してはいないのである。

オーエン・ラティモアと満洲国

オーエン・ラティモアが、研究者として生涯にわたって引き受けたのは次のような問題であった。農耕という生産形態に追い詰められて、牧地を失い極貧の生活に転落していくモンゴル遊牧民にとってどのような未来があり得るのか——、この問題をラティモアは研究者として終生追い続けたのである。それは文明の問題であるにとどまらず鋭く政治の問題であることが明らかになった。ラティモアの研究の軌跡はそのことをよく示している。

かれは満洲国の誕生を目前にして、新しく創られるその国が、こうした「モンゴル問題」をどのように解決するのかを固唾《かたず》をのんで見守っていた。一九三二年に成立した満洲国の意義を、ラティモアは次のように述べている。

家畜の飼養ということになると、漢族には伝統もなければ、適性も持ち合わさなかった。実際、穀物収穫のために牧地のうちの一等地をねらって鋤《す》き起すから、数年の後には土地の表層は吹き飛ばされてやせ果て、農耕にも牧畜にも役に立たない不毛の地としてしまうのが、モンゴル族の地に来る漢人移民の通有性なのである。
ということは、満洲が漢人の支配下にある限り、経済的多様性は維持できないことになる。日本が支配すれば間違いなく、事態はよい方向に向かうであろう(ラティモア一九三四、邦訳 8〜9、原著 22)。

中国のモンゴル遊牧民の未来について憂慮し続けていたラティモアは、すでに満洲国出現前夜の一九二九年から三一年にかけて、ハーヴァード燕京研究所、アメリカ地理学会、グッゲンハイム財団などから得た研究費によって、満洲国の民族史に関する周到な文献研究を行い――かれは中国語、モンゴル語について抜群の知識をそなえていた――、その知識を携え、現地調査を敢行したのである。

ラティモアの満洲研究

ラティモアはすでに「モンゴル問題」の解決方法として、満洲国に先だって誕生した、一つの解答、「モンゴル人民共和国」のなりゆきを注視していた。さらにいま、もう一つ別の解答を満洲国に見出そうとしていたのであろう。

戦後、アメリカによる日本の占領政策に参画し、やがてマッカーシー旋風のもとで「赤狩り」の犠牲になって追放されることになるラティモアが、満洲国に期待していたこの時代の政治的判断については、将来若い研究者が取り組んでみる価値のある研究課題であろうと思う。

ラティモアが満洲についてまず行ったのは、そこにおける民族史に関する周到な文献研究である。それが一九三二年に刊行された『マンチュリア——紛争の揺籃《クレイドル・オブ・コンフリクト》』であった。ちょうど日本が満洲国をつくった年である。

注目したいのは、ラティモアの目が満洲《マンジュ》に向かったのは、日本帝国主義の侵略の成果を政治的に告発するというよりも、もっと冷たい、文明的な目で満洲を見ていたことである。かれがこの本で示しているのは、満洲がいかに混質的で複雑な民族構成をもっているかを明らかにし、そのことから、あえて、「紛争の揺籃」、あるいは「紛争の温床」と表現したのである。そして地理学者としてのかれの関心の中心にあったのは遊牧民対農耕漢族という対立軸であった。この点で、満洲には、モンゴル人民共和国とは異なる解決法を見出さなければならなかった。そしてラティモアの、歴史に沿ったこの文献研究は、次の実地踏査への堅固な土台になったのである。

この実地踏査をふまえた上で、今度はとりわけ、政治的に最も活発なモンゴル人、バルガ族

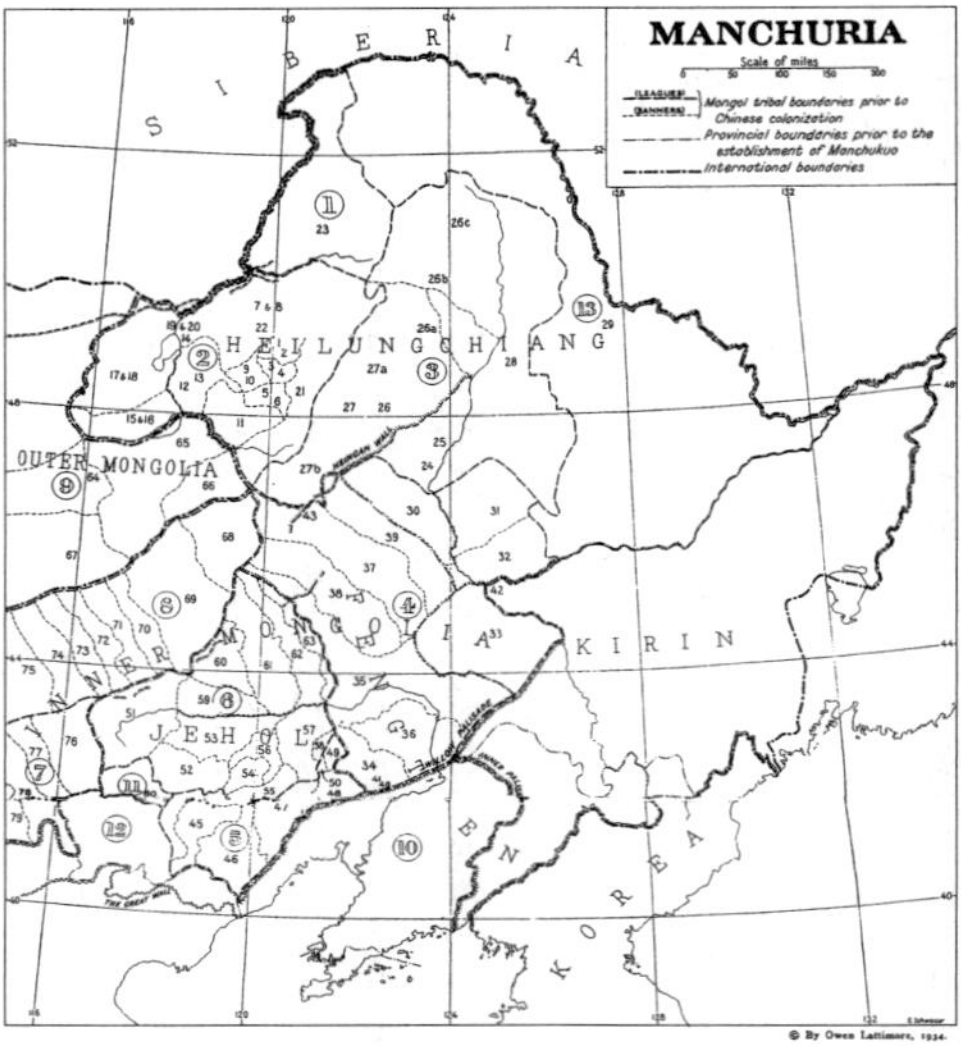

図4　ラティモアの調査によるモンゴル諸族分布(1～75)と盟旗(①～⑬)(ラティモア，1934)

の政治的処遇——かれらを行政区に割り当てるにあたって、日本当局がどのように遇するか——に焦点をあてた。すなわち、満洲国に組み込まれた固有の領域を生活空間とする遊牧モンゴル諸族——まだ民族とは言えない、エスニックな部族的諸集団——が、農耕漢族の侵入による牧地の耕地化、略奪から伝統的生活空間を守るべく、いかにして高度な自治が保証されるかに関心を抱いた。その成果が、一九三四年に『満洲におけるモンゴル人』として刊行されたのである。もっと直接的な言い方をすれば、満洲国における遊牧モンゴル人の未来の可能性を予測しようとする試みであった。この試みは、日本で同様の関心を抱く人たちにとっても期待の書として、同年ただちに後藤富男によって邦訳、刊行されたのである。

一九三四年といえば、ソ連がモンゴル人民共和国を社会主義国家に改変するために、さまざまな強圧を加えていた時代である。すなわち、牧畜の集団化、チベット仏教(ラマ教)寺廟の財産の没収、僧侶の還俗などであった。この年にソ連・モンゴル相互援助条約が口頭で結ばれ、モンゴルに満洲国の影響がおよばぬよう、ソ連がそことの交流を断ち、防衛する体制が築かれた。

こうした、モンゴルで強行された、遊牧民とその文化の強圧的な変革(モンゴル人の目には破壊と映った)にくらべて、満洲国のモンゴル人の生活は日本による、漢族からの手厚い庇護と映ったのである。この対比が、ラティモアにいっそう満洲国への関心をかき立てたのであろう。

満洲国のモンゴル人地帯を、ラティモアがいかにくわしく調査したかは、同書に付せられた諸族(部族)の分布と行政区画(盟旗)地図を見ても明らかである(図4)。

特別領域——興安省

日本は中国東北三省を含む満洲国をつくったとき、興安嶺を越えた西側のホロンボイル地方と、その南に連なる内モンゴル東端部、いわゆる東部モンゴルに対して特別の考慮を払った。

そこはバルガ族を含むモンゴル人、ダグール族、それにエヴェンキ(ソロン)族をはじめツングース諸族など、非漢諸族の伝統的先住地帯であり、農耕民が侵入する以前の牧畜生活が比較的純粋に維持されていた。この一帯は興安四省と総称され、興安北省、興安東省、興安西省、興安南省の四省に区分されていた。

そして、この興安四省に対しては、他の諸省とは異なる、ある種の自治とでも呼べる、比較的独立した統治が行われていた。そのことをラティモアは次のように述べている。

満洲国において未だ植民の侵入を受けないモンゴル地帯は、その地を走る興安嶺《ヒンガン》の名を採って、興安省《ヒンガン》と命名され、モンゴル自治省として別扱いを受けている。……上記の自治省はその内政については、満洲国の他の部分よりも、はるかに大きな自由を享有している。モンゴル人は一部はその世襲王侯により、一部は選挙されたり任命されたりした官吏によって統括されている。モンゴル人は自分自身の軍隊を持つことさえ許されているのである(ラティモア一九三四、邦訳7原著21)。

どちらかといえば日本嫌いであったと伝えられるラティモアが、「日本の支配は必ずや漢族による弊害から救うであろう」とまで、日本のモンゴル遊牧民に対する政策に期待を寄せていたことは極めて興味深い。モンゴル人民共和国を支配するソ連との対照で、それに対抗して現れた満洲国への期待すら感じられる。

その興安省の特性についてラティモアは、次のようにも述べている。

〔興安省は〕理論的には一種の民族保護区であって、その区域内においてはモンゴル人は自治を許されている。（中略）同省は自前の軍隊を持ち、満洲国軍守備隊から自立している。内政、軍事ともにモンゴル人の手中にあるか、将来そうなるよう約束されている（邦訳119原著141）。興安省の内部は北省（巴爾虎《バルガ》）、東省（嫩江河谷《ノンニ》）、南省（哲里木盟《ジェリム》）、および西省（昭烏達盟《ジョーウダ》）の四分省に区分されている（邦訳120原著142）。

「自治モンゴル区域」となった興安四省

ワルター・ハイシッヒは、興安省の成立に対してラティモアと同様、あるいはそれ以上に高い評価を与えている。

一九一一年以来、興安モンゴル人（とりわけバルガ・モンゴル人）が繰り返し求めていた自治の要求の結果として、新国家満洲国に、一九三二年から三四年までに、これが与えられた。興安四省は自治領域として、国家構成の中に組み込まれた。モンゴル人の民族的、経済的、歴史的な特有の発展が、こうした行政形態を与えるきっかけになったのである（46）。

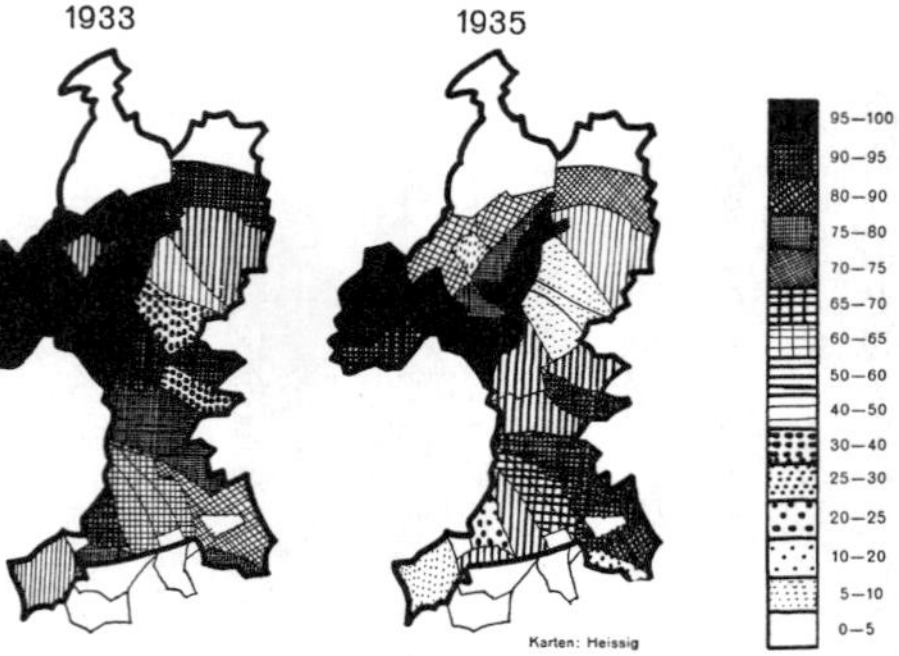

図5　満洲国住民中に占めるモンゴル人の割合（ハイシッヒ 1944，11ページより）

後年、ドイツ、否、世界のモンゴル学を担うことになるハイシッヒも、満洲国の出現が何をもたらすかに絶大な関心を抱いていた。とりわけ興安四省が、モンゴル人が追いつめられていく地域から一線を画す国家的境界(staatliche Abgrenzung)としての「自治モンゴル区域」として設けられたことに特別の意義を見出したのである。

ラティモアの研究にも依拠しながら、かれは興安四省の詳細な現地調査を行い、満洲国成立後の一九三三年と三五年の二年間の間に急速に漢化が進んだことをここに掲げる図5によって明瞭に示した。このような急速な漢化にもかかわらず、ホロンボイルにあたる西側にモンゴル人の多い地域が残っていることを、モンゴル人たちは日本の「善政」だと感じたはずである。

そして、興安省の最北をなし、ロシアと接する一帯がバルガ、あるいはホロンボイル盟《アイマク》と呼ばれる地区で、ここがほかでもない、後にあのノモンハン戦争の舞台となったのである。

モンゴルから見た満洲国

漢族農耕民の侵入を阻止して、バルガ族、ダグール族などの遊牧文化を保護し、その伝統的行政組織には手をつけず、独自の軍隊さえ保有している興安省のこの状態は、モンゴル人民共和国のモンゴル人にとって、そこに進行しつつある破壊的大変革とはいちじるしい対照をなしていた。すなわち、(1)家畜を富農や寺廟から没収して集団化をはかる。(2)歴代の指導者に、「坊主を根こそぎかたづけろ」と繰り返し命令したスターリンの仏教僧への憎しみ、(3)モンゴルの軍隊をソビエト式に改編し、それどころか、モンゴル軍を無力化したうえで、ソビエト軍を大量に導入するよう、軍事条約の締結をせまる、――このようなソビエト当局とコミンテルンの要求に従わない指導者は、次々にソ連に召喚されて、そこで亡き者にされた。このようなできごとを日々目撃し、経験している人民共和国のモンゴル人にとって、満洲国の同族はまぶしいような自治を享受し、理想に近い生活を送っているように見えたのである。

このころ、モンゴルから国境を越えて満洲国へと脱走するケースは決して少なくなかったらしい。一九三六年に、当時のソ連の有名な映画監督で、後にレーニン賞を受けるレオニード・トラウベルクがモンゴルで作った最初の記念碑的トーキー映画「我はモンゴルの子」は、そのことを示す一例である。

この映画では、若い牧民ツェベーンが東の国境を越え、あこがれをもって異国の町にやってくるのであるが、そこに失望して故郷にもどってくるというストーリーである。「東の国境を越えた」異国の町とは、言うまでもなく満洲国のことである。このような映画が作られること自体、満洲国が国境の彼方のモンゴル人の夢をいかに刺激したかを物語っている。奇妙なことに、一九三一年に、越境して満洲国に入って諜報活動を行ったという実存の人物が、ツェベーンという名である。こうしたことから考えると、この映画はかなり現実感をもって作られたことがわかる。

第五章に述べるルンベ事件は、一九三三年武装したままの兵士が満洲国に脱走したのち、日本スパイ組織の頭目、タナカの密命を帯びてモンゴルに帰ってきて活動を開始したという作り話が発端となっている。コミンテルンはこの作り話をもとに、党の幹部を逮捕し、かれらに拷問を加え、次々に、このスパイ組織の参加者だという名をつらねた名簿について自白させて銃殺した。その人数は数千人にも達すると言われている。

アダック・ドラーン事件

このような状況のもとで、モンゴルの国境守備隊の兵士が、満洲国の興安軍と接触することは、ソ連にとっては極めて警戒すべき危険を含んでいた。ソ連はどのような代償を払ってでも、そのような機会が発生するのを阻止しなければならなかった。

当時モンゴル軍の兵士たちの態度が満洲国軍に対して、いかにつつしみ深いものであったかについて、次のような印象が語られている。

一九三五年一月の「ハルハ廟事件」以来頻発した国境衝突の中で、一九三六年の「タウラン事件」と称されているものがある。タウランという、意味のとれない地名は、日本側による聞き間違いから生じた地名だと思われるもので、私の推定によれば、モンゴル語で「アダック・ドラーン」という地名にあたる。直訳すれば「(河)末《アダク》の・温かい《ドラーン》(所)」となる。はじめのアダクが略され、「ドラーン」が「タウラン」と聞きとられたのであろう。この解釈があたっているのかどうか、じつのところ不安だったが、防衛庁戦史に、「三月下旬ころ、この地方では河川、湿地は一般にはまだ凍結の状態にあるところが多いが、湿地のうち水の湧出部にあっては、局部的に氷が溶ける所があった」という貴重な注(326)があるので、私のこの地名解釈はあたっていると思う。

このアダック・ドラーン事件では、日・満側の軽装甲車一台がこの「湿地に落ち込み」、外モンゴル軍の装甲車から包囲攻撃されて車体は炎上し、平本鈴雄中尉以下の死体が持ち去られた(326)。三月三一日のできごとである。戦死は「平本中尉以下一三名」と記されている。

当時開催中であったマンチューリ会議での話し合いによって、遺体の引き渡しは九月末に行われた。このときのありさまについて、防衛庁戦史には、次のような注記がある。

この時、現場に立ち会った矢野光二大佐（32期―当時大尉、陸軍における有数の蒙古通）によれば、「当時における外蒙軍の挙措は、諸事すべて礼儀正しく厳粛の気に満ちあふれ、日本軍側代表者に深い感銘を与えた。そしてわが方の参列者はいずれも、日蒙両軍は銃火をこそ交えたが、外蒙側は本来、日本軍に悪感情を持っていないばかりか、かえって何か双方の心と心に通ずるものがあったように感じられた」(328)。

日本軍側が受けたこのような印象は、モンゴル軍指導部の考え方を反映したものであろう。アダック・ドラーン事件が起きた三六年三月は、まさにゲンデン首相が解任されてソ連に連れ去られ、かれが反対しつづけていた、ソ・モ相互援助条約が締結されたころである。満洲国、したがって日本と平和を維持し、友好的な態度を示すと疑われる者すべてが反ソ分子として摘発されていた、まさにそのような時に、日・満軍の積極的な行動は、モンゴル軍、政府にとって、最も当惑する行為であった。

日本軍への屍体引き渡しを決めた、このときのマンチューリ会議のモンゴル側代表は外務次官のG・サンボーであった。駐ソ大使をつとめたこともある経験ゆたかな外交官であったサンボーはその後罷免され、後任にL・ダリザブが就任したが、二人とも、翌一九三七年一〇月二一日にそろって処刑された。

マンチューリ会議の経緯はすべてコミンテルンが把握し、そのすべての情報はただちにモスクワに報告されていた。モンゴル側にとって、いかなる形であれ、日本と打ちとけたかかわりをもつことは死を意味したのである。

いかがわしい「満蒙」という日本製地域名

「興安省」とりわけ「興安北省」を設けて、そこで満洲国が展開した対モンゴル民族政策は、欧米のモンゴル研究の専門家からも期待のまなざしをもって眺められるほどの傑作であったと言っていい。しかしだからといって、全体としての満洲国もまた、日本がつくった傀儡《かいらい》としてそれほど傑作であったわけではない。そのことは、今もなお、その道の専門家ですら、時に使っている「満蒙」ということばを見れば、満洲国という政治の製作品に対する幻想は、一瞬にして消え失せてしまうだろう。

この「満蒙」という用語を厳しく批判したのは、内モンゴル独立運動のリーダーで、ほかならぬ親日派の領袖として知られる徳王だった。かれは、満洲国で日本がモンゴル民族に対して示した配慮が矛盾に満ちていることを鋭く見抜いて、くり返し抗議した。

徳王という名の由来

この機会に、徳王という人の名について説明しておきたい。そうすれば、内モンゴルにおけるモンゴル文化の状況についても理解が深まると思うからである。

徳王というこの名の由来は、漢字を使うことに慣れている日本人がすぐに考えるように、決して「徳ある王」という意味ではない。この「徳《デ》」(今日、中国語のピンイン表記ではde)は、かれの名、デムチュクドンロブのオトを、漢字で徳《デ》穆《ム》楚克《チュク》棟魯《ドンロ》普《ブ》と写し、さらに中国の習慣にしたがってその最初の文字の徳だけをとって、徳王《デワン》とし、さらにそれを日本読みにしてトクオーとなったものである。

チベット仏教に深く帰依したモンゴル人は、今なお中国の内モンゴルであれ、独立モンゴル国であれ、ロシアのブリヤートであれ、すべてチベット仏教にかかわる由緒ある名を好んで用いる。このデムチュクドンロブもまた「上楽成就者」という意味のチベット語 に由来する。

満洲国に対抗して

さて、徳王はチンギス・ハーン第三〇代目にあたる名家の出で、内モンゴル全域に強い影響をもっていた。そのリーダーシップは外モンゴルの活仏、ジェプツンダンバ・ホトクトにも劣らず、これら諸地域がモンゴルの名のもとに統一されることを願っていた。そのうえで、内モンゴルについては、そこを統一するのは自分に課せられた役割だと思っていた。

かれは満洲国が成立したときに、その中に内モンゴル諸族の歴史的、伝統的居住地帯が含まれているのを見て強い不満を抱いた。徳王は、それは満洲国に含まれるべきでないと考えたからである。

徳王は一九三五年一一月、関東軍の招きを受けて、満洲国の首都、新京(現・長春)を訪れた。関東軍としては、新京を見せることによって、大いに日本の威光を印象づけたつもりだったのであろう。しかし徳王はそんなことでごまかされなかった。それどころか、この機会を用いて、満洲国が東部内モンゴルを編入しているのは不当であると強く抗議した(徳王自伝 109)。かれの夢は、「東西(内)蒙古」を合体させて「蒙古国」を樹立することだったという(同 105)。

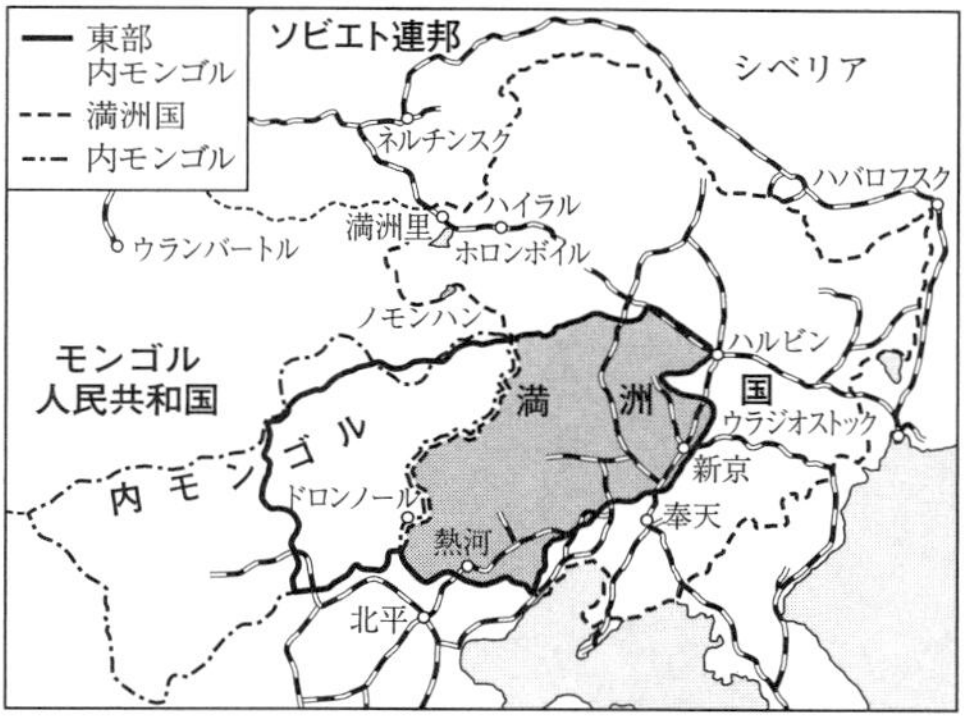

図 6 「満蒙」(アミをかけた部分)とは「満洲国に組み込まれた部分のモンゴル地帯」である(亀井高孝他編『世界史年表・地図』吉川弘文館, 2009 をもとに作成)

徳王はすでに一九三三年一一月、「現在、外蒙古はロシアによって赤化されたばかりか、東部内蒙古も日本に占領され、熱河の蒙旗もほとんどその半ばが失われて明日をも知れず、残されているのは西部の盟旗のみです」(同 39、傍点をつけたのは田中)と語ったと述べている。内モンゴルは東から西へと長く帯状に伸びていて、その東端は満洲国に食い込んでいる。

徳王がここで「東部内蒙古」が「日本に占領され」ていると言っているのは、そこがほかでもない、満洲国に併合されたことを指しているのである(図6)。だから、そのような背景を知ったうえで、この「満洲国内のモンゴル」と言うつもりで「満州蒙古」と言うのであれば、それは理にかなっている。つまり満洲国のモンゴル部分という意味であったとするならば。しかしそれは、決して「満洲とモンゴル」という意味ではなかった。

「満蒙」の誤まった理解

「満蒙」という、この二つの漢字を機械的に連ねることによって、一般に日本人は何をイメージするだろうか。試みに、現代日本語の標準的知識を提供するものとしての『広辞苑』がこの語をどう解釈しているかを見よう。そこには、「満州と蒙古(内蒙古)との併称」と述べている。この記述は、『広辞苑』の初版から、最新刊の第六版まで変わっていない。このように、「満蒙」が単に満州と内モンゴルとをひとまとめにした呼び方であるとするなら、わざわざ辞書など引いて調べる必要もないことだ。

それはあたかも「欧米」という言い方と同類であって、その意味が「ヨーロッパとアメリカ」という以上に、何かを言おうとしているなどとは人は思わないであろう。

しかし「満蒙」は決して「欧米」と造語法において対等ではない。たとえば今なお回顧される「満蒙開拓団」は決して満洲国とモンゴルの全域にわたって放たれた入植団ではなくて、この「蒙」は「満洲国内のモンゴル地帯」だけを対象としているにすぎない。

　そこで、この「満蒙開拓団」を編成し、送り出していた時期、一九三六(昭和一一)年に刊行された平凡社の『大辞典』は「満蒙」の項目をより精密に、「満洲と東部蒙古の汎称」と説明している(傍点は田中)。

> 以上の考察によって明らかになるのは、「満蒙」は決して単純に「満洲とモンゴル」ではなくて、「満洲国に組み込まれた部分のモンゴル地帯」、すなわち「東部内モンゴル」でなければならないのである。

「満蒙」とは東部内モンゴル

　日本のあやつり人形＝傀儡とされる徳王ではあるが、かれはこのごまかしを決して見逃してはいなかった。かれの気持ちに沿って言えば、「満蒙」とは、「満洲国にかすめとられたモンゴル部分」ということになるだろう。そして、満洲国は内モンゴルとの関係においてもホロンボイル対モンゴル人民共和国との関係と同様に、複雑な問題を内蔵していたことを知っておかなければならない。

　他の言語には存在しない、したがって、国際的にも、学術の用語としても成り立たない、日本語だけに特有のこの「満蒙」ということばが生まれたのには、満洲国の造成にかかわる、特有な背景があったことがこれによって理解されるであろう。

　満洲国は、漢族を主体とした、いわゆる「東三省」のほかに、純遊牧地帯のバルガ＝ホロンボイルを含み込んで成立しただけでなく、内モンゴルの東端を削り取って満洲国に編入したために、ここでもまた満洲国の混質性があらわにならざるを得なかった。

このご都合主義の矛盾を含み込んだ混質性——歴史的民族《エスニック》境界と矛盾した満洲国の境界をカムフラージュする役割を演じたのが、まさに「満蒙」という、不透明で偽瞞的な地域名だったことを、「満洲」を論ずる人は銘記しておかなければならない。

第三章　ハルハ廟事件からマンチューリ会議まで

以上のような、満洲国がはらんでいる複雑なエスニック構成を念頭に置いたうえで、はじめて国境問題としてのノモンハン戦争の考察に進む準備がととのう。

ハルハ廟事件以前の小競り合い

「ノモンハン事件」と呼ばれる国境衝突は、一九三九(昭和一四)年五月一一日に突如発生したものではない。それに至るまでに何度かにわたって小規模の小競り合いがあった。モンゴル側の研究は、たとえばそれに五年さかのぼる一九三四年九月二三日、「日・満軍はモンゴル人民共和国東部国境地帯に侵入し、住民たちから馬一五頭を略奪して立ち去った」とか、また同年一〇月一〇日には、ヤルガイという所に現れて馬を奪って去ったなどと述べている。こうしたできごとは、Ts・サムダンゲレク氏が一九八一年の著書で、モンゴル国防省の記録にもとづいてあげた例である。

しかし当時はまだ、この「日・満軍」の中に直接日本軍が参加していたとは考えにくい。というのは、このころまでは、国境警備には満洲国興安北省警備軍(北警備軍)がもっぱらあたることになっていて、日本軍(関東軍)は直接介入しないと決めてあったからである。もちろん関東軍は、こうしたできごとが報告されるたびに出動を考えたであろうけれども、北警備軍司令官ウルジン将軍は、こうした現地での小競り合いは、現地の警備軍にまかせてほしいと繰り返し中央に対して要望していたからである。

私の少しうがった考えによれば、こうした小衝突は、満洲国側北警備軍が、進んで意図的に引き起こした場合があったかもしれない。というのは、こうした機会をとらえて、国境をへだてた同じモンゴル人同士が接触して、たがいに相手をさぐりあい、交流をはかったことは大いにありそうなことだからである。それが単にうがちすぎの推定でないことは、あとで見る凌陞《リンション》事件からも知られるところである。また満洲国の北警備軍と関東軍との関係と同様に、モンゴル人民共和国国境警備隊から国防省への報告にも、ある種の作為があったかもしれない。

しかし、こうした報告を受けとったモンゴル人民共和国の内部保安処、さらにそれを操作するソ連は、日本による一貫したモンゴル侵略計画の試みと受けとったであろう。というのは、こうした日本軍の挑発はすべて、一九三一年のコミンテルン機関誌が発表した、いわゆる田中メモランドゥムに沿ったアジア征服計画という一貫した流れの中で説明するという、おきまりの解釈の図式に従って理解されたからである。サムダンゲレクの著書もそのような図式の中で書かれていて、モンゴルの読書界としても、それを当然のこととして受けとっていたのである。

しかし一九三五年一月に入ってからの、ハルハ廟の衝突からは、様相が変わってくる。それはもう、満洲国北警備軍、モンゴル警備隊間の現地でのうちわ話ではすまなくなってくる。一方では関東軍が本格的に乗り出す身構えを示すとともに、他方では前年の一一月に、クレムリンでソ連がモンゴルに呑ませようとした対日、ソ・モ軍事紳士協定を、どうしても成文化しなければならないというソ連の要求に根拠を与えることになったからである。

おそらくそのような背景があって、一九三五年に入るやいなや、衝突のようすにそれ以前とは異なった真剣味が加わる。それが最初に現れたのがハルハ廟事件である。

ハルハ廟事件

モンゴル側は、「日・満軍」が国境を越えてハルハ廟地域に侵入した時の状況を次のように述べている。

一九三五年一月一九日　日・満軍三四名が越境し、ハルハ廟北方に侵入したのを我が軍〔モンゴル軍〕は排除。

一月二四日　日・満軍はハルハ廟地区に二キロ越境侵入し、ハルハ廟を占拠。国境守備隊長ドンドブ、哨所長ルハムスレン、兵士四人がモンゴル・ザガス哨所を出発してハルハ廟に向かう途中、日・満軍一七名がそれを襲い、ドンドブと兵士七一名が負傷した(サムダンゲレク 18)。

一月三一日、日・満軍は自動車41、馬53、大砲をもってモホル・オボーを占拠し、ハルハ廟、モンゴル・ザガス哨所を占領した(19)。

このようなモンゴル側の記述に対して、日・満側はどのような記録を残しているかを見ると、

> 一月八日　外蒙軍が哈爾哈《ハルハ》廟(貝爾《ボイル》湖北側)付近の三角地帯の大部を占領した……。満軍に属する北警備軍(駐屯地は海拉爾《ハイラル》)が奪回に向かったところ、外蒙軍から射撃を受けて若干の損傷を生じた(防衛庁318～320)。
>
> 一月二八日　〔関東軍〕出動部隊は……哈爾哈廟に向かって攻撃前進したところ、既に外蒙軍は退却後であった。よって部隊は爾後約三週間哈爾哈廟において警備を続けたうえ、海拉爾に帰還した(320)。

今回は満洲国北警備軍ではなく、関東軍の出動であったため、「関東軍第一課に連絡をとり、軍の最終的決意を確かめ、明確に是認を得たのち部隊の出動を命じた」と記してあるところから見ると、このときは、興安北省としてではなく満洲国の問題として対する以上、関東軍は軍を動かすにあたってはまだ慎重であった。

この双方の日付の食いちがいをどう理解すべきか、北警備軍の軍事顧問をつとめていた岡本俊雄の回想では、次のようである。

一月八日　突如十数名の外蒙兵は、ボイル湖西北側ハルハ河、ウルシュン河、シャラルジ河によって囲まれた地区に侵入し、廟のラマ僧を拉致し、馬四十三頭を掠奪した。
一月二四日　〔興安北警備軍軍事教官〕本田少佐は、猪口通訳及び瀬尾中尉の率いるモンゴル兵十名を指揮し、ハルハ廟の状況を偵察したところ、外蒙兵を発見し、同行した旗公署員を出して、我が方は平和裡に国境を協定する準備があるから相互に代表を出したい旨提議したが、回答がなかった（傍点は田中）。
そこで現地の地形をよく知っている瀬尾中尉が自ら交渉するため、部下二名を率いて廟に接近したところ、外蒙兵十数名のため至近距離より急射を受け、瀬尾中尉外一名が戦死した。
一月三〇日　〔満洲〕国軍派遣部隊は日本軍との連絡の上、まずハルハ廟を占領し、瀬尾中尉と兵一の屍体を収容した。……（岡本一九七九 119～120）

双方の記述は、それぞれ異なっていて一致しないが、日・満側は二人も戦死者を出しているのみならず、二六日には、満洲国興安北省警備軍ウルジン司令官の命令によって二人の屍体収容の交渉を行った。しかし「外蒙側は誠意を示さず」（岡本一九八八 29）、三〇日国軍派遣部隊は、

「まずハルハ廟を占領し、瀬尾中尉と兵一の屍体を収容した」(同)と述べている。

私はこれらの記録の中で、岡本俊雄のものが最も事実に近いものと思う。その理由は、かれが、ハルハ廟事件の際には現場にいなかったけれども、それに続く一連の国境衝突の現場にあって、そのつど捕虜交換の場にも立ちあって、状況に通じているからである。

このハルハ廟事件における日・満側、モンゴル側双方の応対の中から次の二つのことが重要であると考える。

モンゴル領か満洲国領か

(1)　モンゴル側はハルハ廟はモンゴル領内にあるとしているのに、日・満側は満洲国内にあると考えていたこと。

(2)　日・満側が、国境衝突を避けるために双方が会合して国境画定するよう提案していたのにもかかわらず、モンゴル側はそれを回避しようとするか、あるいははっきり回答を示さなかったことである。

(1)の日満・モ双方での国境認識のちがいは、前年の三四年に、ソ・モ側が国境線の新たな画定をやり直したことによる。すなわち、ここでも国境はハルハ河でなく、その北のシャラルジ河に移されたから、ハルハ廟は当然モンゴル領内に入ることになる(図7)。日本側は、ソ連が行ったこの国境線の変更を知らされなかったし、知らなかった。あるいは、そうしたことにはほとんど関心がなかった。「満ソ国境紛争処理要綱」が指示しているように、「自主的に」認定して、すべては軍事力で解決できると安易に考えていた。

(2)について言えば、モンゴル側は、中央においてはもちろん、現地においても、満洲国の状況に並々ならぬ関心を抱き、満洲国軍と自由に接触し、交渉したいと切望していたことが最近明るみに出された資料から読みとれるが、ソ連から厳重に禁じられていたことが背景にあった。

ハルハ廟がモンゴル領であるか満洲国領であるか、現地に経験の深い岡本俊雄はそれを当然満洲国領内にあると考えていた。

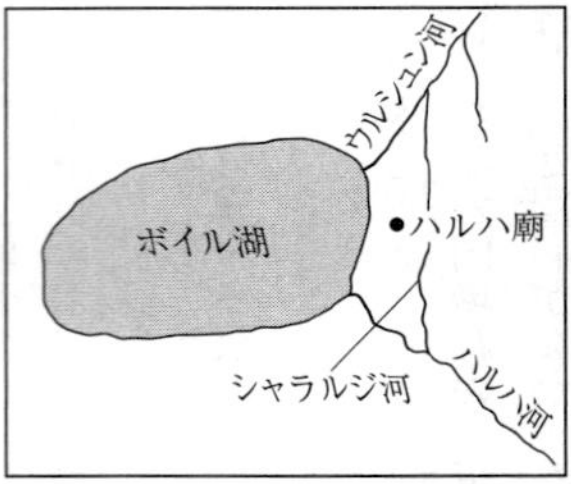

図7　1912年のバラーノフの地図に描かれた三角地帯

すなわち、

このハルハ廟は、約二百年前将軍廟附近にあったバルガ族の王侯がこゝに廟を建てて年々祭りを行っていた処であり、ハルハ廟の南方を国境とするバルガ族は、この事件がおこるまで放牧していたのである(一九七九 120)。

と述べ、さらに続けて、

同年一月三十日ウルヂン司令官と新巴爾虎《シンバルコ》左翼旗々長ウルヒンバトウ(淩陞事件後の興安北省々長)氏が現地を訪れたとき、廟の外観は、全く異状は認められなかったが、内部はすっかり荒され、大きな仏像は傷つけられ、小さな仏像は一つもなく、経文は打破られ、足の踏み場もなく散乱し、惨たんたる有様だった。

ウルヂン将軍はこの様を見て涙を流し、散乱している経文を一枚一枚押しいたゞき、ていねいに拾い乍《なが》ら一歩一歩奥へ進んだということである(120〜121)。

このように読んでくると、ウルジン将軍自身が、ハルハ廟をバルガ、すなわち満洲国領にあると認めているように読みとれる。

仏教勢力一掃政策への怒り

しかし、一九三九年以降、ノモンハン戦争終結後に、国境確定にあたった北川四郎氏によると、

そのハルハ廟事件では満州国興安北警備軍ウルジン将軍が外蒙軍撤退後、同寺の破壊の様子を見て、「自分たちが建てたからといって、ラマ寺をこんなにまで壊さなくても」と語ったと伝えられている。外蒙古人が寺を建てたのならば、その地は当然外蒙のものであろう(北川31〜33)。

ここで、ウルジン将軍が、「自分たちが建てたからといって」というところが重要である。「自分たち」というのは「ハルハ族」にほかならないからである。そもそも廟の名そのものがハルハという地名と部族名を冠しているのだから、そこがバルガの地であるとは言いにくい。

ハルハ廟事件の直後、モンゴルの首相ゲンデン(後、一九三七年、モスクワに召喚され、同年一一月二六日、日本のスパイの罪状で処刑された。本書第四章を参照)は、「ハルハ廟とその付近一帯は、太古から蒙古領域に属し、未だホロンボイルに属したことはない」と満洲国政府に書簡をもって抗議した。「該地方が外蒙古領である歴史的記録がある」と(北川34)。

ウルジン将軍が、ハルハ廟の破壊を嘆いたと岡本は伝えている。それは、その前年、一九三四年以来、コミンテルンを通じて強力におし進められてきたラマ僧、仏教勢力一掃のための政策に沿って行われた破壊を非難したものと思われる。コミンテルンとソ連が施行したこの政策に対する怒りは、国境の隔てなく、満洲国のモンゴル人、モンゴル人民共和国のモンゴル人いずれにも共有されていたからである。一九三五年一二月、スターリンはゲンデン首相をモスクワに呼びつけて、「ラマ僧と仏教はモンゴル独立の敵であり、日本帝国主義を助ける勢力である、これを一掃せよ」とゲンデンに強く求めたと言われる。以降、ノモンハン戦が終結する一九三九年ごろまでに一万四二〇一人のラマ僧が死刑となり、三七五一人が禁固一〇年となったとの調査がある。

一九三〇年三月から三二年四月にかけて、仏教寺院を拠点にした大規模な反政府の蜂起が発生した。それは牧畜業の集団化とともに寺廟の財産没収に対する抗議であった。

マンチューリ会議

ハルハ廟事件をきっかけとする国境画定の問題についての日本側の対応はすばやかった。すなわち、一月二八日に日本外務省は、「国境紛争解決のため、外蒙との間に会議を行うよう満洲国政府に命令した」旨声明を発した(バトバヤル35)。

その際日本側は、問題の解決は、日本(関東軍)あるいは満洲国中央が乗り出すことなく、現地、すなわち興安北省警備軍にまかせるという方針をとったらしい。それは北警備軍自身の要望であったと推定できる。このことを岡本俊雄は、

我が方は本件を地方的に解決する方針の下に二月三日日本軍はハイラルに撤退し、交渉に関する一切は北警備軍で行なうこととなり、二月四日、サガンオボー方面において交渉のかん告をなし、それを端緒として二月七日以降両国中央政府間の交渉に入った(一九七九120)。

と記している。

このような方針にしたがって、二月一日、興安北省省長凌陞《リンション》はモンゴル側に書簡を渡し、その内容は、「国境を画定するためにどの地点で、何日に会見するかについて至急回答を求める」というものであった(バトバヤル35)。

二月五日、モンゴル側から回答があった。それは交渉場所については、満・モ両国以外の国で、しかも双方の中間地点、つまりウランバートルと新京との中間にあって、連絡をとりやすい場所であるウランウデとし、かつソ連の仲介を得ることを望むとするものであった。これは、全面的にソ連の要望に沿ったものであるが、しかし当時としては現実的なものであった。

ところが、これには満洲国側が同意せず、満洲国とモンゴルとの間には、会談を行う場所と期日について長い間やりとりがあった。その結果、場所は満洲国とソ連邦との国境の町、満洲里《マンチューリ》で行われることになった。ハルビン、ハイラルを経てマンチューリで国境を越えるが、最初のソ連側の鉄道駅がザバイカリスク、そこからさらに約五〇キロ進んだ、三つ目の駅がダウリヤであるが、そこはなかなかいわれのある駅であることは一七一ページでふれるであろう。

マンチューリ会議は、日本では戦史家の注目をほとんど浴びない。というのもこの会議は戦場における勝敗を検討するためのものではなく、いかに紛争に至らぬよう、未然に衝突を防ぐかという点から見て、初めて関心のある問題だからである。

マンチューリ会議は、一九三五年六月三日に始まり、たびたびの決裂を経て、何よりも一九三九年のノモンハン戦争によって大きな中断を見ながらも、その結果を踏まえて一九三九年の年末に、今度は国境確定会議として再開された。それが双方の同意に至って決着を見たのは一九四一年一〇月一五日であった。その同意は、日・満側が、モンゴル人民共和国のほぼ主張どおりの国境線を認めることによって得られた。

モンゴルの期待

ここで、「主張どおり」と言わず、わざわざ「ほぼ」という留保をつけておかねばならないわけは、モンゴルがノモンハン戦争の「勝利」に完全には満足していないという事実による。

一九九一年、私たちが東京にモンゴル、ソ連の代表を招いて「ノモンハン・ハルハ河戦争国際学術シンポジウム」を行ったとき、モンゴル側代表のプレブドルジ中将が、モンゴルの本来の領土の一部を満洲国側に残したままソ連が自分の都合で停戦協定を結んでしまった。これは、モンゴルとソ連との間の相互援助条約の不履行であったと述べた。これははじめて聞く意外な発言であった。ソ連とモンゴルは一枚岩だと思われていたノモンハン戦争についての解釈において、モンゴル代表が初めて自己主張した場として、このシンポジウムを開いた私たちとしては、そのかいがあったと思ったものである。日本軍が守りとおしたこのヌムルク(ネメルゲン)河のマナ山の五〇〇平方キロ、すなわち淡路島より少し小さい一角の戦闘については、「宮崎連隊と深野大隊の勇戦」について書かれた秦郁彦氏の文章があるので、それに譲る(『昭和史の謎を追う』(上)。

もう一つの、より注目すべき、モンゴル側のノモンハン戦争研究上の関心事は、このマンチューリ会議さえ成功していればノモンハン戦争は起こらなかったはずだという、ゴンボスレン大佐が提起した問題だった。なぜ会議は成功せず開戦に至ってしまったのかという。

日本での、この戦争についての関心と研究は、戦場における個々の場面に関する戦術や、日本軍の統帥権、関東軍と中央との関係、作戦の巧拙、戦争技術などなど、表面の軍事研究を扱うだけの、すべて、この戦争を当然と見る立場からの研究関心であった。

勝者の側のモンゴルの研究家のほうがかえって、この戦争に先立つマンチューリ会議の重要性を強調し、もしこの会議が成功していれば、ノモンハン戦争は避けられたとする論文を発表したとき、私は、重大な発見をしたと思った。大佐で戦史の研究家ゴンボスレンは、「歴史にもしも《イフ》という仮定はない」などと言いふるされた俗論などにこだわらずに、このようなテーマを提出したのである。だから私はむしろ、「もしも」という仮定を出してみることが、歴史に新しい発見のきっかけを与えると思わざるを得ない。「イフ(if)」の問いかけは、歴史の原因に鋭く切り込んでいくきっかけを作るのではないかと。

マンチューリ会議が開かれ、続行されていた、一九三五年から四一年までの七年間に——その中にノモンハン戦争を含みながら——モンゴルの現代史の決定的な段階が含まれていたのだった。ゴンボスレン氏はモンゴルの文書記録《アルヒーフ》に残されている資料によって、マンチューリ会議をあとづけ、この会議が、何とかして戦争になることを避けようとするモンゴル側の努力の成果として開かれたことを力説した。

氏はそれ以上に話を進めることなく踏みとどまったが、ソ連はその後、モンゴルが満洲国との交渉によって戦争に至る道を閉ざそうとする努力をいっさい封じ、それどころか、モンゴルの自主的な政治・外交の権利を奪いとり、軍事力を完全に無力化してこの国を押さえ込み、ひたすらソ連の主導によって戦争に突き進んでいった状況を描き出す研究がそれに続いた。

マンチューリ会議におけるこのような過程を知ることなしにノモンハンは語れないのである。

第一回マンチューリ会議

会議にのぞむモンゴル側代表団一行は八人で、一九三五年五月三〇日にマンチューリ駅に到着した。満洲国側も含め、その構成員は次の通りであった。

モンゴル側

団長　G・サンボー全軍総司令官副官

G・ダンバ東部《ドルノト》第二騎兵団長

D・ドクソム　官吏

ドグスレン　書記官

チミトドルジ　外交クーリエ
ジャグワン　事務員
ロブサンデンデブ　事務員
ジュルメド　通訳

満洲国側
凌陞　興安北省省長
ウルジン(烏爾金)　守備隊長
神吉正一　満洲国外交部参与
斉藤弥平太　中佐
桜井　事務員
猪口三蔵　通訳
その他全一二名

接触を求めていた分断されたモンゴル民族

この会議にのぞむ満洲国側、モンゴル側の姿勢、それにとりわけ、日本側とソ連側の態度はいちじるしく異なっていた。

日本・満洲国側の要求は大筋において一致していた。すなわちこの会談を通じて、閉じられた国、モンゴル人民共和国内に何とかして外交機関を置きたいということであった。

当時のモンゴル人民共和国はソ連だけが承認するにとどまっていたのであるから、他のいずれの国の外交機関、代表部、すなわち領事館、大使館のたぐいは設けられていない、いわばソ連に占有されたままの未知の閉ざされた国であった。

この厳重に密封された純牧畜国家モンゴル人民共和国に、いったいどのような社会主義が進行中であったかは、とりわけ満洲国のモンゴル人にとってだけでなく、そこを支配する日本人にとっても鋭い関心のまとであり、ことによるとあこがれと期待の地でもあった。その固く閉ざされた扉をこじ開けたいという熱い願望が、このマンチューリ会議にのぞむ満洲国側にも日本側にもあった。

それに対してソ連側には、この会談がうっかりして、モンゴル人民共和国の中をのぞき見させる機会にさせないようにという強い警戒心があったので、会談のなりゆきは細部にわたるまでソ連当局の厳しい監視下に置かれていた。ソ連側にとっては、一〇〇パーセント望ましくない会議だったのである。そして、このような接触の機会を求めていたのは、誰よりも国境の両側に分断されていたそれぞれのモンゴル民族であった。

満洲国がかいらい国家であることは誰しも異論のない周知のことである。しかしモンゴル人民共和国もそうであったと言えば、多くのモンゴル人の自尊心が傷つくことを私は知っている。それにもかかわらず、あえて、かいらい国家だと言わなければならないわけは、あとで見るように、首相その人が、外国の意のままにならなければ生存が許されなかったという事実による。

二つのかいらい国家のなりゆき

先まわりしてこの二つのかいらい国家のその後の運命を見ておくと、満洲国はノモンハン戦争の六年後、一九四五年には日本の敗戦とともに消滅してしまった。それに対して、モンゴル人民共和国は、ノモンハン戦争の勝利によって独立国としての権威を高めながら、そして何よりも日本・満洲国からの誘惑を拒み続けながら、やむをえずソ連の支配に服するという選択が、結果として正しかったことが実証されたのである。この戦勝の結果にもとづいて、モンゴル人民共和国に独立国としての国際的承認を得るためにスターリンが払った努力、その執念はなみなみならぬものだった。

日本の敗北を目前にして、一九四五年二月に行われたヤルタ会談は、日本では、南樺太と千島列島のソ連への引き渡しを、スターリンが米英に認めさせたことで有名であるが、じつは協定の冒頭第一条には「外モンゴル(モンゴル人民共和国)の現状は維持せらるべし」と規定されていることを忘れてはならない。

このとりあえずの米英ソ間の秘密協定を、現実のものとするために必要な手続きは障害もなく進んでいった。すなわち米英のみならず、かつての宗主国であった中国の同意を得るための作業も成功裡に実現したのであった。外モンゴル独立の意志を確かめるために、一九四五年一〇月、モンゴル全住民による国民投票が行われた。その結果九八・四パーセントの圧倒的投票率で一〇〇パーセントの独立賛成票を得て、翌四六年一月、中華民国政府は外モンゴル、すなわちモンゴル人民共和国の独立を承認せざるを得なくなったのである。

こうした経過から見ると、モンゴル人民共和国はとにかくスターリンが全力をつくしてその独立を世界に承認させようとした、かれの諸々の所業の中では、傑作と呼ぶべき国家であった。この事実上のかいらい国家は、さらに一九六一年には全般的な国際承認を経て念願の国連加盟を果たした。そして、さらに一九九一年のソ連解体をもって最終的にソ連のかいらいであることをやめたのである。いったい、日本、ソ連のいずれがモンゴル民族に責任をとったかは、言うまでもない。

話をもとにもどそう。とにかく、一九三五年のモンゴルにとっては、完全にソ連に支配されかかった状態の中から、いくらかでも外部と交渉をもって、その独立の国際的認知を得たかったし、日本・満洲国側にとっては、なぞに満ちたモンゴルの状況を知りたかった。満洲国側は、何としてでもこの機会を利用してモンゴルの扉をこじ開けたかったのである。

辛亥革命によって崩壊した中国(清朝)からの分離独立を願う外モンゴルが、独立の支援者としての日本にいかに熱い思いを寄せてきたかは、すでにロシア革命以前に、モンゴルからいくつかの、日本へのはたらきかけがあったことから明らかである。

モンゴルの脱ソ連願望

すなわち一九一三年一月、モンゴルとチベットは互いに仏教国として相互の独立を承認し合い、連帯を誓う宣言を発したのに続いて、翌二月には反露派の立場をとる内務大臣ダー・ラマが日本訪問を企てたが果たせなかった。しかし、一二月には、駐日ロシア大使を通じて、牧野伸顕外相に当時の国家元首、活仏ボグド・ゲゲーンが天皇に宛てた親書を伝達しているのである。ところが牧野外相は、「日本政府はこの件につき全く関係がない」として、ボグドの親書を開封もせずにロシア大使に戻し、ボグドへの返却を依頼したということである(磯野 69)。

最近ロシアで現われた現代モンゴル史の著作は、すでに一九二七年に、マンチューリの日本領事タナカが、国交を求めてモンゴル政府に書簡を送ったことを記している(ロシア科学アカデミー 119)。このタナカとは何者か、日本外務省の記録によると、一九二六年一月七日に、田中文一郎が領事に着任したことが明らかになる。

タナカはモンゴル人民共和国への入国を申請し、人民革命党中央委員会はこれを許可したという。一月二四日のことである。しかしコミンテルン極東書記局は、「そのようなモンゴル指導部の一歩は日本の膨張の政治的危険を見抜けぬ大きな政治的誤謬だ」としてそれを差し止めたという。この事実はロシアのすぐれたモンゴル学者、ルジャーニンが、新現代史文書ロシア中央保管所の資料にもとづいて述べているところである（ロシア科学アカデミー135）。

おそらく、ダンバドルジを首班とする当時のモンゴル人民革命党は、ソ連からいくらかでも自立する方途として、とにかく日本との接触をもちたいと考えていたにちがいない。

その翌二八年、ダンバドルジは右翼偏向、あるいは右翼日和見主義の名により、党から追放され、モスクワに移され、そこで病気の「治療のため」入院させられた。

ダンバドルジはソ連とコミンテルンへの隷属状態から脱出して、有力な諸外国と外交関係を結んで、モンゴルの独立について国際的認知を得たかったのである。かれにとっては日本領事タナカとの連絡は、その大いなる糸口だった。しかしソ連とコミンテルンとしては、絶対に許せないことだった。

かれの盟友で、党中央委員会副委員長を解任されてモスクワに送られていたジャダンバが、一九三四年六月二四日にダンバドルジをモスクワの入院先に見舞ったとき、かれには別に変わったところはなかった。しかし、翌二五日には、ダンバドルジの遺体と対面しなければならなかった。そして、ジャダンバの語るところによれば、ダンバドルジはその日注射を受けた後、口と鼻から血を噴き出して急死したという。

この話を伝えているのは、ジャーナリストのダリスレンであるが、当局がジャダンバにわざわざダンバドルジの死因をくわしく説明したのは、かれへの見せしめ、脅迫のためであると感じたという(ウルズィーバートル 28)。

モンゴルの独立を切実に願うため、コミンテルンの意のままにならない、最高指導者をソ連に連行して療養させ、亡きものとするこの方式の最初の例になったのがダンバドルジであった。ダンバドルジは、来訪する外国人ジャーナリストたちに会って、闊達《かったつ》にモンゴルの未来を語った。モスクワに連れていかれる前年に、ウランバートルでかれに会ったアメリカ人のジャーナリスト、アンナ・ルイーズ・ストロングは、「彼の明るい笑いや寛いだ挨拶はシナ人よりも寧ろヨーロッパ人を思わせた。否。猶それ以上に、西アメリカ人や田舎のロシア人を思わせ、広漠たる平野地方のくつろいだ明るい客あしらいを連想させた」(『草原の革命家たち』 170)とその印象を伝えている。

満洲国からモンゴルに対するはたらきかけが、コミンテルンの資料が述べるほど具体的なものであったかどうかは明らかでないが、一九三三年七月、関東軍は「暫行蒙古人指導方針要綱草案」を策定し、その第五項に「外蒙蒙古人に対しては、満洲国との接触を図り平和的文化工作を施し相互の修好関係を樹立しソ連との羈絆《きはん》を脱しせしめるとともに親日満の傾向に転ぜしめる」(『満洲国史　各論』 1257)と述べていることから、ソ連側はそれを脅威と感じたはずであり、その警戒心が根拠のないものでなかったのは明らかである。

「日本のスパイ」　一九三二年以降、日本との関係をもち、「日本のスパイ」となったとの理由で、モンゴルの要人が次々に国家反逆罪で摘発され処刑されるという、いくつもの事件が発生した。

その中でも最も注目されるルンベ事件の裁判記録の中に、「一九三二年、日本のスパイ、タナカが満洲国から国境を越えてモンゴル領内に入り、スパイ組織の工作にたずさわった」という記述がある。

このタナカに相当する人物は誰であろうか。何人か推定される候補があるが、その中では、時期から考えて、領事田中文一郎が最も有力だと思われるけれども、領事自身がモンゴル領内に大胆にも越境潜入したとは考えにくい。その他、タナカと名乗る人物としては、バボージャブの息子、ジョンジュルジャブも考えられるが、これは想像の域を出るものではない。

このようなスパイ伝説によって、日本人はみなスパイであるから、日本人と接することがいかに恐ろしい結果を招くかという恐怖の感情は、一九七〇年代まではモンゴル人の心にしみついていた。知りあったモンゴル人に手紙を書くことさえはばかられたのである。

そして日本が作ったという、大規模なスパイ組織が実在したことを疑うモンゴル人はほとんどいなかった。一九九〇年代のモンゴルにおける国際学会でも、私が現代史をテーマに発表すれば、必ず、あなたはそんなことよりも、次の機会には何千人ものモンゴル人を死に追いやった日本のスパイ組織を明らかにして公表してほしいという注文をつけられるほどであった。そうしたスパイ伝説はマンチューリ会議が開かれた一九三五年ごろに作られ、以後そのような雰囲気が支配しつづけた。

こうした緊張感ただよう中でマンチューリ会議が開かれた。

マンチューリ会議中の測量

第一次の会議(一九三五年六月三日~八月二五日)の最中六月二四日に、こともあろうに、日本側は、後でノモンハン戦争で激戦地となる、ハイラースティーン(日本側の言うホルステン)河の測量を行って、モンゴル側に拘束、連行された。

当時の日本側・満洲国側の主張では、ハルハ河が国境であり、そこに東方から注ぎ込むこの河(水量が乏しい時には小流となる)は、当然満洲国領内にあった。拘束されたのは関東軍測量手の犬飼慶と、それに従った二人の「白系」ロシア人助手であった。「白系」とは、ロシア革命を支持し参加した人たちを「赤系」と呼ぶならば、それに反対した、いわば「反革命」の人たちで、この中にはロシア人のみならず多くのユダヤ人、タタール人、ウクライナ人などが含まれ、満洲国に安全を求めて逃れてきた人たちであった。

かれらにとって、とりわけユダヤ人やタタール人たちにとって、満洲国は、かけがえのない亡命の地として必要だった。関東軍はこの人たちを通訳や情報活動のために利用していた。

さて、犬飼らは六月二八日、関東軍の要求によって釈放されたが、計器はモンゴル側に没収されたので、それの返還を求めた。

ホロンボイルの地図作製に、関東軍が果たした役割には大いに評価すべき点がある。私は二〇〇五年、将軍廟からノモンハーニー・ブルド・オボー一帯を歩いたときに、「一九三五年測図(関東軍測量隊)、三六年製版」という一〇万分の一縮尺地図を持って行ったところ、これがどんなに役立ったかは、はかりしれない。湖水の位置などはかなり変化していたけれども。そして私につきそった地元の人たちは、あとでマンチューリに着いてからコピー機を見つけて三〇枚ほどもコピーし、それぞれ宝のようにして持ち帰った。

日本の測量手たちが、地図作製にかけた情熱は多大なものであった。かれらはひたすら仕事熱心であり、その成果は、今日そこが中国領となった中国政府にも、またモンゴル政府にも多大な貢献をしたはずである。

しかし私は、なぜ、ハルハ廟の衝突に始まった国境問題の会議中に、測量を敢えてしてこのような問題を起こしたのかを考えてみる余地があると思う。測量については、私には特別な思い出がある。一九七一年、私は祖母のふさ乃のいとこにあたるという関東軍の元中将竹下義晴にインタヴューを行った。竹下ら一行四人の測量隊は、一九三七年、ユクジュール廟に近い国境附近を測量中に拘束されて、ウランバートルに連行された。四日間ほど拘留された後、丁重にもてなされて国境まで護送されたということである。この例からみても、日本側は記録に残されなかった大胆な測量を行ったものと考えられる。

モンゴル代表団長サンボー

七月四日、会議の日本側代表の一人である満洲国外交部参与の神吉正一と、満洲国軍参与の斉藤正鋭は、モンゴル代表団長G・サンボーのもとを訪れて、こうした事件を解決するためにも、モンゴル領内に満洲国の全権代表部を開設してほしい、もちろんそれと併せて、モンゴルも満洲国内に代表部を駐在させてはどうかと提案した。

サンボーはそれに対して、本官の権限内にあるのは、ハルハ廟事件で問題となった国境の画定だけであって、外交関係の樹立にかかわることを扱う権限は与えられていないと強くことわる。サンボー個人としては、どんなに満洲国側の提案を受け入れたかっただろうかと想像される。しかしあとで見るように、この程度のやりとりですら、サンボーは日本のスパイとされて処刑されることになるのである。ゴンボスレンのまとめた研究によると、神吉はサンボーの宿舎を訪れ、サンボーは神吉のもとを訪れて何度も私的な話をかさねていたということである。そのことはすべてソ連側が察知していた。

じつはこのマンチューリ会議が始まるにあたって、ソ連はサンボーが逐一、経過をソ連領事スミルノフに相談することを求め、サンボーはその指示を受けたうえで行動していたことを口シアの研究者たちは明らかにしてくれている。

この会議が始まる一週間前に、ソ連外務省第二東方局長コズロフスキーから、マンチューリ駅にいるスミルノフのところに、「この会議にモスクワは特別の関心をもっている」との機密電報がとどいている(ゴンボスレン 36)。

そして、ソ連としては、モンゴル人民共和国と満洲国との間に、どのような外交関係の樹立をも許さない強い決意を示しているのである。そのことは、ソ連からモンゴルに送られた、次のような指示から明らかになる。

もし日満側がどうしても外交関係の樹立問題をとりあげるよう求めた場合には、サンボー一行は、自国政府にそれを報告し、指示を受ける必要がある旨を告げてウランバートルに引き揚げるように(モンゴル外務省文書フォンド 119 第32冊、ゴンボスレン 36 による)。

この指示は、単なる脅しではなかった。

サンボーはソ連の指示をよく守ったにもかかわらず、翌一九三六年一〇月四日にマンチューリ会議モンゴル側代表団長の地位を解任され、後任に参謀長のＬ・ダリザブが任命された。そして二人とも、一九三七年一〇月二一日に、そろって「反ソの陰謀に加担し、日本のスパイとなった」とする国家反逆罪のかどで銃殺されたのである。

このことから、ソ連がいかに「独立」モンゴル人民共和国の自主性を奪い、自らの支配下に置くために狂暴な体制を敷いていたかが明らかになっている。しかし、もしそのことを問題にするならば、それに先だって日本がいかに、それに劣らぬやり方で満洲国のモンゴル民族の名ばかりの自治を支配していたかは、サンボー解任のすでに半年前に、マンチューリ会議にのぞむ満洲国側の代表団長、凌陞《リンション》を逮捕、処刑していたことを知らねばならない。

満洲国とモンゴルの交渉

この問題についてはまたもどってくることにして、サンボー、神吉をそれぞれモンゴル、満州国の長とする、双方のやりとりを見ていこう。七月四日、神吉と斉藤はサンボーを訪ねて、モンゴル領内に満洲国会議代表が駐在することに同意するよう強く求めた。それが決められないようでは、モンゴルを独立国とは認めないと詰め寄った。神吉は誠実な人柄であって、交渉相手のモンゴル人からも信頼されていたということが、知られている。

このやりとりは、さっそくモスクワに伝えられたらしく、東京のソ連全権大使K・ユレーネフは七月六日広田弘毅外相に会って、ソ連政府はマンチューリにおける会談のなりゆきに注目していると伝え、東京は関東軍に平和と秩序を守るよう指示を与えるべきであると警告した。

これが、ソ連がモンゴル人民共和国の国境が不可侵であることを対外的に宣言した最初の機会であったとバトバヤルは指摘している(41)。ソ連はこのような表現で、この間にソ連とモンゴルが設定した国境線についての新しい認識を日本側に伝えたのであろう。

この会見の際、広田外相が、問題は満洲国とモンゴルとの関係であるのに、なぜソ連が関与するのかと尋ねると、それに対して、ユレーネフは、モンゴルとソ連は特別に密接な関係にあるから、自分はソ連本国からの訓令にもとづいてこのような警告を行っているのだと答えた。広田は、外モンゴルはソ連とは別の国であると我々日本は見ているので、貴殿の申し入れは受け入れられない。「そもそもモンゴル問題を、日ソ間でとりあげる理由が理解できない」と答えたという(バトバヤル 42)。

ハルハ廟事件の意義

ソ連は前年、一九三四年一一月に、モンゴルとの間に交わした相互援助条約が単に紳士協定(口頭による)にとどまったので、これを成文化することを急いでいたところ、その矢先にハルハ廟事件が起きたのである。この紳士協定は、三六年三月一二日にモスクワで成文化して調印される。ゲンデンはその前日一一日からはじまった党中央委第二回総会で自らの反ソ(特に軍事面における)的態度の罪を自白させられたから、このころのソ連によるモンゴルの傀儡《かいらい》化と完全支配への措置が矢継ぎ早にとられたことがわかる。この国境衝突は、モンゴルと満洲国側がいかなる形であれ、接触することを極度におそれていたソ連にとっては、最も好ましくないできごとであった。

ハルハ廟事件がもつ極めて大きな意義は、国境線がどうであるかを問う以前に、すなわち、それがモンゴル領であるか満洲国領であるかを問う以前に、その国境線によって隔てられ、裂かれていた二つのモンゴル族、すなわちハルハ族とバルガ族が、たがいに自らが置かれている状況を問い、統合への方途をさぐるかけがえのないチャンスになったのである。

もっと進めて言えば、その国家的帰属などは二の次の問題だったのである。かれら双方は、何とかしてそれぞれの支配者、ソ連と日本の目をあざむいて、ハルハとバルガが手をつなぐ方途を考えていたと見ていい。

かれらは辛亥革命で清朝が倒れたのを機に、ともに一九一二年、独立と統一を求めて立ち上がったのだが、その悲願はロシアと中国の介入ではばまれ、その後も未完の独立運動としてくすぶり続けることになった。

外モンゴル、すなわちハルハ族は、ソ連のかいらいになることによって、からくも中国からの分離を果たし、満洲《マンジュ》のバルガ族は、満洲国というかたちで、同じく中国からの分離を実現したのである。バルガ族にとっては、満洲国の成立は、少なくとも漢族の支配からの解放という意味では、一歩状況が進んだのである。

しかしかれらの理想はさらにその先にあった。何らかのチャンスをつかんで、ソ連を利用しながら、最終的にソ連のくびきからも離脱することであった。

凌陞《リンション》事件

ソ連が、モンゴル人民共和国のモンゴル人と満洲国のモンゴル人とが接触する機会を極度におそれていたのと同様に、日本も、この国境を越えたモンゴル人同士の交流にずっと疑いの目を注ぎ続けていた。それへの最初の対処が、ホロンボイル統治の最高の地位にあった、凌陞の突然の逮捕と処刑となってあらわれた。当時、軍事顧問として、ウルジンの身辺にいた岡本俊雄はそのころの状況を、興安北省の警防科長だった坂水梧郎の手記を引きながら、次のようになまなましく伝えている。

昭和十一〔一九三六〕年四月十二日の夜だった。私の家に五、六人集って十六ミリ映画を楽しんでいた。十時すぎだったと思うが、日本軍地区司令部から電話があり、すぐ出頭せよとのことだった。(中略)司令部の応接室に已に特務機関長と満軍の寺田顧問が来ていた。寺田さんに「何事ですか」とたずねたら寺田さんは、一言「没法子《メイファーズ》」(仕方がない〔の〕意)と答えられただけだった(一九七九 109〜110)。

やがて参謀が現れて、「蒙古に関係深き三氏には意見もあろうが、この事件に関しては一切意見を述べる事と上司との連絡通信とを禁止する」と前置きして、次のように命令を伝えた。

凌陞を主謀とする蒙古独立運動の陰謀が発覚したので午前四時を期し、戒厳令をしき、凌陞以下蒙古要人を逮捕する。これに伴う警戒は一切日本軍に於て実施する(110)。

ウルジン将軍の名もまた凌陞の自白に現れたのであるから、かれもこの「陰謀」に参加したと疑われて当然で、有罪とされているはずであったが、ウルジンは取り調べの末釈放された。凌陞に加えられた拷問はすさまじいもので、三度卒倒したと伝えられている。

凌陞事件で逮捕された一二人のうち、次の六名が軍法会議で死刑となった(満洲国軍 229)。

凌陞(五一歳)　興安北省省長
福齢(四七歳)　同省第一警備軍参謀長(省長実弟)
春徳(四二歳)　同省公署警務庁長
華霖泰(三九歳)　同省公署秘書官
沙図爾図(二六歳)　元同省警備軍騎兵上尉
倭興泰(二七歳)　ハイラル警察署巡官

しかし、吾孫子徹男によれば沙図爾図——モンゴル語ではシャダルトと読めるであろう——

は一二年、倭興泰は一五年にそれぞれ減刑されたという。

省長凌陞は、いうまでもなく興安北省の最高位にあった人であり、マンチューリ会議で、モンゴル人民共和国との交渉の首席代表であった。そもそも「満洲国建国の元勲貴福の長男であり」、ダグール族統合の頂点に立つ人であった。福齢は凌陞の実弟、春徳は凌陞の妹婿で、ダグールの名家一族だった。凌陞の息子は、満洲国皇帝溥儀の四番目の妹と婚約したばかりだった(以上、吾孫子「凌陞事件について」による)。

事件の本質は

かれらを死刑にすることを強く求めたのは、当時関東軍憲兵隊司令官だった東条英機中将だったことが、何人かによって証言されている。刑の執行は、ハイラルの南嶺において銃殺によって行われたと伝えられているが、凌陞だけは斬首刑だったという(満洲国軍 230)。

凌陞の罪状について、関東軍は次のように発表した(36. 4. 13付)。

> 満洲里会議に際し凌陞は首席代表として同会議に列席したるを好機とし、外蒙代表らと連絡し実行運動の協定をなすに至り、その後、省公署内において伝達室秘密会議なるものを組織し、数回にわたり親族、姻族、股肱《ここう》の部下を集めて会合を遂げ、昨年十二月における満洲国境事件より、なかんずく本年二月中旬オランホトック事件惹起後は活発なる活動をなし、同事件に対する日満軍の状況及び兵力、装備、活動を通報し、爾後機を得るごとに

日満軍の国境警備の企図を事前にソ蒙軍に知らしめ、彼らに先制的態勢を与え、日満軍に多数の犠牲者を出さしめたり(『満洲国軍』229)。

凌陞のこの「通敵」行為は、決して関東軍のでっち上げではなく、事実の摘発であったと思われる。それは最近モンゴルで発表された研究から見ても裏づけられる。吾孫子によれば、凌陞は「サンボー、ダンバと密かに情報を提供することを約束した」。また福齢もサンボーと会って、日・満軍の編成、配備などについて調査報告を約束したとしている。また、『蒙古大観』(一九三八年版)を引用しながら、「凌陞はホロンボイルを独立し、外蒙に合流を企図し、外蒙から兵器若干を受領し、満洲里商務会長所有の倉庫に隠しておいたのを、日本憲兵隊が偵知して告発した」こと、また「この兵器の支給および、日本憲兵隊への密告は商務会長のロシア人だという説もある」と述べているのはかなり信ずるに足るところがある。この「商務会」とは、モンツェンコープ(モンゴル中央消費組合)のことであろうと推定され、ホロンボイルにおけるその行動は、最近のロシアにおける研究によって明らかにされている。これらのことから、私はノモンハン戦争に発展する一連の国境衝突は、満洲国とモンゴル人民共和国との間に分断されたモンゴル諸族が、統一を回復するための接触の試みから発展したものであろうと推定している。そしてかれらがマンチューリ会議という絶好のチャンスにたどりついたところで、今度はコミンテルンがそれを察知し、この動きを阻止するために大胆な方策に出たものと考える。

興安北省司令官ウルジン将軍

このような願望を深く蔵していたのが、満洲国側代表、興安北省省長凌陞の次席にあった興安北省警備軍司令官ウルジン将軍であった。このウルジンの名を漢字で烏爾金と表記していたため、日本人には、これを日本語読みしてウルキンと呼ぶ者がいるがそれは正しくない。

ウルジン・ガルマーエフはロシア革命の際に反革命側についたため、他のブリヤート人一族とともにホロンボイル、バルガの地に脱出し、日本に協力して満洲国軍の建軍に尽力したとして関東軍から信頼され、マンチューリにおけるモンゴルとの国境交渉にも、代表として重要な役割を演じた。一九四五年、日本の敗戦時に、ソビエト軍が満洲国を占領した際に、ウルジンは、ソ連が絶対に見逃さない恨みをこめた反ソ反革命分子だった。

ウルジンはソ連の追及を受ける前に新京(現・長春)のソビエト占領軍司令部に出頭して、自ら進んで拘束を受けた後、モスクワに連行され、一九四七年三月一三日に処刑された(バザーロフ 34)。しかし、ソ連崩壊後の一九九二年一月二三日になって名誉回復されている。

満洲国国立建国大学出身のかれの息子ダシニーマ(ハルハ式発音ではダシニャム)は、今日ウランバートル国立博物館に勤務し、たくみな日本語を操る博識な解説者として知る人も多いだろう。ダシニーマさんは、「何しろ私は建国大学出身ですからね」と、その経歴を誇って私に語るのだった。モンゴルには滅びた満洲国を脱出して、日本語の知識を役立てながら生計を立てていた人が相当数いたと推定される。しかし日本人である私たちは、そのような経歴にはふれるべきでないという印象をもっていたのだが、ダシニーマさんだけは別であった。

ハルハ廟事件の際に、ウルジンがただちに現場に出動し、衝突の処理にあたったことはすでに述べた(八四ページ)。そしてマンチューリ会議の際に満洲国側の代表を務めた際には凌陞に従って、ハルハ廟はバルガ、したがって満洲国のものだと主張したが、たぶんそのようなことはどうだってよかったのである。

ハルハ廟やそれに続く国境衝突に、ウルジンは関東軍の関与を極度に嫌い、こうした現地の小競り合いには、現地の部隊、すなわちバルガ族にまかせておいてほしいと繰り返し述べたと伝えられている。

寺田大佐らの立場とウルジン

凌陞が逮捕されたとの報を聞いたとき、ただ一言「没法子《メイファーズ》」と答えた満洲国顧問の寺田利光大佐の嘆きは大きかったにちがいない。

寺田は陸軍砲兵学校に在籍するかたわら、東京外国語学校でモンゴル語を学んだ後、ハイラルの特務機関に赴任した。

かれはハイラルの特務機関長であると同時にホロンボイル警備軍顧問となり、警備軍司令官のウルジンの相談役となった。

じつは凌陞の逮捕・処刑にあたって、マンチューリ会議で凌陞の次席を務めていたウルジンにも危険が迫っていた。「凌陞の自白により謀議に参加したということで、日本憲兵隊は、ウルヂン将軍宅周辺を内偵し、逮捕は時間の問題と謂われた程だった」と岡本は回想している(一九七九 112~113)。

それにもかかわらず、ウルジンが事なきを得たのは、寺田が懸命に助命に奔走をしたからだ。寺田や岡本のような人は、もちろん、ホロンボイルのバルガ族やダグール族の軍隊を見張り監督するのが任務であるが、他面でかれらは関東軍の専横からモンゴル諸族を可能なかぎり庇護したいという気持ちにあふれていた。

岡本は次のように述懐している。

静かに満洲国という国の枠を離れて蒙古人の立場で物を考えた場合どうであろうか。蒙古人の如く常に異民族に征服されて来た彼等にとって、誰にも侵されない、蒙古人は蒙古人だけの国をもちたい。つくりたい、という理想を彼等がもっておっても当然のことである(一九七九 113)。

このような、政治的には成熟していないとはいえ、素朴な心情は、とりわけモンゴル語を学び、草原の人たちのメンタリティーに共感を抱いていた日本人にはひろく共有されていた。かれらは日本の軍隊に属しながら軍事的野心とはほとんど関係なく、モンゴル人の、他民族に依存しない、自立した生活圏が保証されることを夢見る人たちであった。その人たちは、モンゴル人の自立の形態として満洲国を理想化したり、ときには、モンゴル人民共和国さえも、独立の方途の一つとして念頭に置きさえする。その心情は個人の利害を超えている。それは「国益」すらも超えた、あえて言えば、「趣味」の域に達してさえいる。

私は、このような心情をオーエン・ラティモアやワルター・ハイシッヒのような欧米のモンゴル学者、否、時としてソビエトやロシアの学者の中にさえ見出すのである。

モンゴル側団長サンボーを処刑

一九三五年一一月二五日に決裂したままの会議は、ほぼ一年を経た後、やっと翌三六年一〇月末になって再開される運びとなった。この間に、ボランデルスなど国境線上で起きた事件の際の捕虜の交換や、戦死者の遺骨の返還などが行われた。たとえば九月一六日には日・満側はモンゴル兵一二人と、病死した四人を遺骨として返し、モンゴル側は日・満側に岩本中佐、ジュロー大尉(?)など一二人の捕虜を返還したが、バニネコ上等兵(?)は本人の希望でモンゴルにとどまったという(ゴンボスレン58)。また、一〇月二九日には、日・満側は、モンゴルに拘留中に死亡した平本中尉、その他下士官二人を含む一二の遺骨を引き渡した(同)。こうしたこともあずかって、中断されていた第二回目

(日本側では第三回と数える人もいる)の会談が一〇月一五日から開かれる運びとなった。

しかし再開された会談のメンバーには大きな変化があった。まず日・満側は凌陞が処刑されたので出席できず、ウルジン将軍がそのあとをつぎ、興安北省のエンヘバト将軍が加わった。

一方のモンゴル側も日本が凌陞を逮捕・処刑したのをそっくりなぞるかのように、一〇月四日の会談にサンボーは現れず、後任としてダリザブが現れた。また、ダンバ、ドクソムのような重要人物が交替していた。サンボーとダリザブはそろって日本の手先となって反革命を企てたとの罪状で、翌三七年一〇月二一日に死刑の判決を受け、刑が執行された。

この一九三七年一〇月二一日付のモンゴル最高裁判所が出した判決第三九号法廷の決定には、

……ルンベとジグシドシャブは当該国(日本)の諜報機関の指示に従って、反革命グループのために大量に新メンバーを募り、しかるべき国家機関、軍事組織に対して責任ある公的命令を与えて送り込んだ。共戴二二(一九三二)年には、このグループに首相ゲンデン、全軍総司令官であったデミド……司令官……、この件で現在告発されているL・ダリザブ……、G・サンボー、Zh・マルジ、Ts・バトトムル、Ch・ウルズィー＝オチル、D・ヤンダック、O・シャグダル、B・ラムジャブ……らが企てていたことは、いまや露見した

……

とある。

この、日本のスパイとして摘発された反革命の一四人とは、ソ連内務人民委員部(NKVD)次官のフリノフスキーがモスクワから携えてきた反ソ反革命分子の名簿にさらに七八人を加えた(バーサンドルジ 136)一一五人の中から選び出したもので、モンゴルの史家たちはこれを「最初の一四人」と呼んでいる。

この中には、マンチューリ会議のモンゴル側首席代表サンボーのみならず、その後後任となったダリザブ、さらに軍の最高統率者であったマルジ将軍の名も入っている。

二万人を超える銃殺刑

この最初の一四人を皮切りとして、うち続く摘発は、ノモンハン戦争勃発の一九三九年五月までに、反ソ、反革命、日本の手先との罪状で、二万五八二四人が有罪とされ、うち二万四七四人が銃殺、五一〇三人が一〇年の刑、二四〇人が一〇年未満の刑、七人が釈放されたという(ウルズィーバートル 294)。当時のモンゴルの人口を約七〇万と見積もれば、これはおそるべき数字である。

日本・満洲国との間で緊張が高まっていく中で、夜な夜なトラックに満載された人々が運ばれ、やがて銃声がとどろいて処刑されていくさまを、息をひそめて聞いていたという回想は、ここにはいちいち引かない。

第四章　抵抗するモンゴルの首脳たち

ソ連は満洲国の出現を恐れをもって注視し、それがモンゴル人民共和国に与える絶大な脅威になりかねないために、一九三四(昭和九)年一一月、ソ・モ相互援助条約をモンゴル側に提案したが、ゲンデン首相の抵抗に出会い成文化されないまま、口約束のいわゆる「紳士協定」にとどまった。

ソ連軍の進駐を拒むゲンデン首相

一九三五年、ハルハ廟での衝突は、ソ連にこの紳士協定の成文化を急がせる、十分に理由のある口実を与えた。ゲンデンは一九三二年に首相の地位につき、さらに国防大臣をも兼ねたから、モンゴル人民共和国の最重要人物として、少なくとも四回ソ連に招かれた。最初の一九三二年二〜三月の訪問は、党中央委員会書記長シジェー(一九四一年七月、ソ連滞在中に銃殺される)とともにコミンテルンが招いたものだった(ロシア科学アカデミー94)。うち一九三四年、一九三五年の二度はスターリンに求められて会談している。

ゲンデンは、「日本帝国主義の脅威」を訴える熱烈な演説をたびたび繰り返しながら、しかし、スターリンの指示にはなかなか従わなかった。

スターリンがゲンデンに要求した最も重要な二点は、(1)ラマ僧と富裕層を一掃して、牧畜の集団化を進め、さらに(2)モンゴル人民共和国が日本帝国主義と戦う断固たる体制をかためるために、ソ・モ相互援助条約を成文化し、批准することであった。

スターリンがこの二つの要求をとりわけしつこく主張したのは、一九三五年一二月三〇日と三一日の会見で、これがゲンデンが直接スターリンとことばを交わした最後の機会になった。この時の会談の場は、二日ともモロトフの私邸で行われたという(バーサンドルジ 138)。

スターリンは階級の敵ラマ僧どもをかたづけろと命じたが、ゲンデンは心の底から仏教に帰依した人であった。

かれは極貧の牧民の女、ペルジドの長男として生まれた。父は知られていない。その貧しさにもかかわらず、Ts・ガワーゴンピルというお坊さんからモンゴル文語とチベット語を学び、仏教に厚い信仰をささげていた。これは、当時のモンゴル人の、ごくありふれた人生の始まりだった。ゲンデン(དགེ་འདུན་ dge'dun)という名そのものが、「お坊さん」という意味のチベット語で、この貧しい母子を思って名づけた人の気持ちが伝わってくる。

ゲンデンの政治家としての経歴は一九二四年に始まる。この年、「モンゴル人民党」の党員になって、国民小議会《バガホラル》の議長になる。国家の最高権力機関は形式上は国民大議会《イヘホラル》であるけれども、バガホラルはそこから選出された、実質的な執行機関である。

この二四年は、現代モンゴル史のうえで特筆すべき年になる。というのは、人民党は人民革命党と改称され、第八代活仏、ジェプツンダンバ・ホトクトが亡くなった。それまでの伝統にしたがえば、没後、第九代の転生者が現れるはずであったが、党は、この活仏は八代目で転生せずとの「理論」を生み出して廃絶し、国家の体制を「人民共和国」に切り換えた。一一月二六日に人民共和国憲法を発布することによって、こうした一連の過程は完成した。この過程はすべてコミンテルンの路線にしたがったものであるが、その手続きを実行したのはゲンデンであった。そして、一三年後のこの同じ日にゲンデンが、ソ連当局の手で、「反ソ活動」と「日本のスパイ」になったとして処刑されることになるのは、後で見るであろう。

スターリンの要求を拒否

ゲンデンがどのようにしてスターリンの要求をはねつけて抵抗したかについてはいろいろなエピソードが伝えられている。中でも、歴史家イチンノロブが二〇〇五年一二月七日号のモンゴル人民革命党の機関紙『ウネン』に書いたのが代表的なものであろう。そのやりとりは次のようだったと記されている（バーサンドルジ 148）。

スターリン　日本が攻め込んできたら君はどうするつもりなんだ。

ゲンデン　私は祖国を捨てて逃げたりはしない。

スターリン　坊主どもはどうするんだ。

ゲンデン　我が国は人口が少ない。ラマ僧は還俗させて働かせるつもりだ。

スターリン　ゲンデン、君はラマ僧といっしょに社会主義をやろうなんてよく言うね。モンゴルのハーンになろうとでも言うのかい。

ゲンデン　グルジア人のスターリンさん、あんたこそロシアのハーンに君臨しているじゃないか。私がモンゴルのハーンになって悪いかね。

と言い放ってからけんかになり、ゲンデンはスターリンのほっぺたを「平手打ち」したうえ、「足蹴にし」、「パイプをとりあげて投げつけた」という。モンゴルの人々は何度も繰り返してこの話をするのを好んでいる。

一九八八年という、ソ連からの離脱がまだ完全には進んでいなかったときに、『革命よ、あなたに申し上げよう』という歴史小説を書いて、粛清された人たちのことを回想したＬ・トゥデブは、この作品の中で、ゲンデンはスターリンのパイプを単に投げつけたのではなく、「テーブルに叩きつけて壊した」(61)と書いている。トゥデブは作家同盟の議長もやっていたまじめな人で、何度か会ってその人柄を知っている私は、八八年になって彼がこんな小説を書くとは思いもよらなかった。この作品のあとがきには、わざわざ「史料にもとづいて書いたものであって、自分でつけ加えて書いた部分はまったくない」と断っている。

また、日本の国立民族学博物館は、このような現代史を生きたモンゴルの政治家、文化人たちを招いて聞き書きを残すという、興味深い活動を行っているが、二〇〇六年に聞き取りを行った記録の中で、ニャンボー氏もまた「「ゲンデンがスターリンの胸元を締め上げて頬をはたいた！」という噂がありましたが、本当かもしれません」と語っている(小長谷 164〜165)。

ソ・モ相互援助条約とゲンデンの逮捕

ゲンデンがスターリンのほっぺたをひっぱたいたというこの一件は、モンゴル人にとってどんなに溜飲の下がる思いだったろう。しかし、この気晴らしはゲンデンには高くついた。ゲンデンのこのような常軌を逸した振る舞いは、かれが職務に疲れ果てたあげく、精神に異常を来たしたものと説明されたらしい。ゲンデンはモスクワから帰ってくると、ほとんど間をあけず、翌一九三六年一月二〇日、モンゴル人民革命党中央委員会第四三回指導者会議と、三月二二日の小議会での公式決定により、首相と外相の職を解かれた後、病気療養のため、国費で一年間、ソ連に行って休養するよう求められた。

注目すべきは、こうしてゲンデンを排除した後、三月一二日、ウランバートルで、ソ・モ相互援助条約が成文化され、正式に締結されたことである。これがゲンデンの名でソ連との間で行われた最後の仕事となった。この条約文は、ソ・モ外交史上の極めて重要な文書と見なされ、外交史料集には必ず収められるものである。

ゲンデンのソ連療養への出発は手早くととのえられ、家族とともにモンゴルを出発して、四月にクリミア半島の南端の町フォーロスで一年三か月を過ごした後、翌年七月にソチに移され、ホテル、カフカスカヤ・リヴィエラの一四号室に軟禁された後、七月一七日にそこで逮捕された。さらにそこからモスクワに移されて裁判が始まったのである。こうしたいきさつのすべては、常に父とともにあった、一人娘のツェレンドラムが生き残って語ってくれたおかげで、くわしく知ることができる。

ゲンデンは激しい拷問を加えられた末、自分が日本にやとわれてスパイになったと自白し、その組織に加わった人物として、あらかじめ準備されていた一一五人（ニャンボー氏によれば一一四人)の名をあげたリストに同意した。この名簿は前もってソ連内務人民委員部（ＮＫＶＤ）次官フリノフスキーが準備したものであった。ゲンデンの証言はロシア語で三〇枚に達したというが、ゲンデンはロシア語にあまり堪能ではなかった。したがって、ゲンデンの証言には大いに問題があったにもかかわらず、この調書はただちにチョイバルサンに手渡され、この名簿にもとづいて「反ソ反革命日本スパイ組織参加者」の一斉検挙が始まったのである。

日本のスパイと手を組んで人民共和国の首相その人が自らの国をくつがえすという、最大級の国家反逆者とされたゲンデンの処刑は、モスクワで行うかウランバートルで行うかをチョイバルサンに問い合わせたうえで、モスクワで行うこととなった。

刑の執行は一九三七年一一月二六日に行われた。この日が選ばれたのは、ちょうど一三年前の一九二四年、ゲンデンの指揮のもとモンゴル人民共和国が誕生した、まさにその記念日にあたっていたからにほかならない。このような記念日を選んだ刑の執行は日本もまた行った。リヒャルト・ゾルゲは、一九四四年一一月七日、ちょうどロシア十月革命の記念日を選んで処刑されたのである。

ゲンデンの遺体はモスクワのドンスコイ修道院墓地に葬られた。この墓地は、二〇〇八年八月六日、ソルジェニーツィンが葬られたことでもよく知られている。

ゲンデンはモスクワへの死の旅に一人で旅立ったのではなかった。妻、妻の姉ドルマー、それに一人娘のツェレンドラムを連れていった。ツェレンドラムは父と旅に出発する少し前、ウランバートルにいたころは、父ゲンデンに、お前、自転車に乗る練習をするんだぞと、ドイツ製の自転車を買ってもらって乗っていたというから、一〇歳になるかならないかくらいの女の子だった。

彼女はクリミアの保養地からモスクワに連れもどされてホテルに監禁され、処刑される直前までの父の消息を知っていた。そして一九九三年にはまだ存命で、新聞記者のインタビューも受け、自らも回想を書いているから、そのおかげで、私たちはゲンデンの消息をくわしく知ることができるのである。

娘が語るゲンデン首相の逮捕

彼女が書き、語ったことは、ソ連という国家が、言いなりにならないかいらい国家の元首をどのように取り扱い、最後は、どのようにして消し去ったかを知るために興味深い一例として、ここにくわしく述べる意味があるだろう。

ツェレンドラムは、一九三四年のモスクワ行きのときも父に同行したから、これは二度目のモスクワ行きだった。一行はモスクワのナツィオナールホテルに泊まってからクリミアに向かい、半島南端の保養地フォーロスに着いた。ここには始めのうちこそ身辺警備人、通訳、医者、料理人、運転手がついていたが、一年三か月を過ごすうちに、やがて警備人一人だけになってしまった。

ゲンデンはたえず故郷のモンゴル草原をモンゴルの馬に乗って駆けたり、アルガル（乾燥した牛糞のことで、ゲルの中で燃料として燃やす。蚊やりにもなり、室内は懐かしい芳香に満ちる）のにおいに満ちた草原の生活をなつかしんで、早く故郷にもどりたい、モンゴルにもどれるものなら、もう首相になるつもりはない、公職につかず、新聞配達でもやりたいと切々と訴える手紙を書いた。手紙のある一通には「この一年間、私は珍しいものをいろいろと見たし、休養をとったけれども、身も心も衰え、故郷、兄弟、家畜のにおい、アルガルの煙がいつも心から去りやらず、寝てもさめても忘れられないほどだ」と書かれている。「アルガルの煙」がモンゴル人をどんな郷愁にさそうかは、司馬遼太郎さんの『モンゴル紀行』で引いているチミドの詩がよく物語っている（朝日文庫、二二九ページ）。ゲンデンは首相の後任になったアマルや、チョイバルサンや、はてはスターリンにまで手紙を書いたという。

モンゴルから銀の鞍を取り寄せて――一つはゲンデンに代わって首相になったアマルからの贈り物だった――クリミアのタタール人から馬を手に入れて乗った。もう一つの気晴らしは娘の写真をとることだった。これは後にモスクワに帰ったときにすべて踏みにじられて没収されたとツェレンドラムは回想している。

一年三か月経った後、ゲンデン一行は「大きな汽船」アブハジア号に乗せられてソチに着き、そこで「ソチの〔カフカスカヤ〕リヴィエラ」というホテルに軟禁された。軟禁と言ってよいわけは、次のような次第だったからだ。ゲンデンとその妻は一つの室に、娘ツェレンドラムと、妻の姉ペルジェーには隣のもう一つの室があてがわれた。これら二室はバルコニーでつながっていたが、それを行き来するのは二人のロシア人が見張って制止していた。入口にも二人のロシア人が配されていた。

父との永遠の別れ

そんな日が続いた後、父はある日何人かのロシア人といっしょにツェレンドラムの室に入ってきて、「逮捕されたよ」と言ってから、「早くモンゴルに帰って子供たちを見張ってくれ」と言ったという。するとロシア人が、「モンゴル語で話すな、この子はロシア語がうまいんだから、この子に通訳させろ」と言うと、母は、「こんな幼い子に通訳させるなんて!」と抗議したとツェレンドラムは回想している。一九三七年七月一七日のことだった。

それからロシア人たちはトランクや引き出しを片っ端から開けて中の物を引っ張り出し、父が一年三か月の間にとった写真をすべてとりあげましたとツェレンドラムは語っている。母がなぜ逮捕するのかと聞くと、ロシア人は「モンゴルに急用ができた。飛行機で国に返すことに決まったからだ。あんたたちはここにずっと住んでいていい」と答えた。

母は、私たちはもうここにいても用はない、すぐにモスクワに帰してほしいと要求し、二つの客室《クペー》を準備させ、その夜のうちにモスクワに出発した。母は、お前たちは汽車の通路で走りまわってていいよ、お父さんが見つかったら呼ぶからねと言った。

モスクワに着くと、ホテル、ノーヴァヤ・モスコーフスカヤに連れていかれ、一週間に一〇〇ルーブルずつあげるから外出してはいけないと言い渡された。軟禁は三か月続いた後、私たちは国外追放になりましたと、ツェレンドラムは回想している。

帰路、モスクワから、モンゴルへの入口の駅ナウシキまでの費用は自前で払った。ナウシキではモンゴル入国に際してパスポートがないというので、留置場に入れられた後、ナウシキからトラックに乗せられてウランバートルに着いた。

娘ツェレンドラムの語るゲンデン逮捕のありさまをまとめてみると、だいたいこのようになる。

ゲンデン首相はどのようにして処刑されたか

逮捕された七月一七日から処刑の一一月二六日までの四か月間、ゲンデンがどんなに激しい拷問を加えられたか、この種の記録を読んでみると想像を絶するものがある。

拷問は、日本のためのスパイ組織に加わり反革命に加担した者の名をあげさせるために行われた。名前の一覧表はほとんど準備されていて、それを認め、その自白書に署名するだけでよかった。この自白にもとづいて一一五人の名が確定され、逮捕が始まったのである。この一一五人の中には当時のモンゴル人民共和国の政府、軍、文化政策の中枢にあった人物の名が網羅されていたのである。このゲンデンの自白上申書は次のようなものであった。

数日間拘禁されて取り調べを受けた結果、私はモンゴル人民共和国総理大臣の公職在任中、一九二二年より、日本の援助によって作られた反革命組織のメンバーとなり、ソビエト・モンゴル関係を意図的に断絶し、モンゴルをソ連邦から分離独立させる政策を一貫して実行してきたのは真実であります。反革命組織の構成員には、政府、モンゴル人民革命党の何人もの指導者が参加していました。この活動について私は真正な証言を申し述べました。私は自ら述べた本上申書をモンゴル語で書き、しかる後にロシア語に翻訳したのは真実であることを保証し、ここに署名しました。八月三日(バーサンドルジ 92)

というものであった。

後に、チョイバルサン首相、元帥を完全にかいらい化した以後のモンゴルでは、国家の指導的地位にある者はロシア語ができなくては職務が務まらなかった。国家の枢要な人間になるための条件は、ロシア語の完璧な修得であった。ゲンデンは、意図して自民族の言語にこだわったというよりは、貧しい、父のない普通の牧民として、ロシア語を学ぶ機会など、まったくなかったのである。

この自白にもとづいて、ソ連邦最高裁判所軍事協議会は、一九三七年一一月二六日、師団裁判長ニキーチェンコ、師団判事ゴリャーチェフ、旅団判事ルートマンに、第一級軍法判事コンドラーチェフを書記長に加えて法廷を開き次のような判決文を読み上げた。

「一八九二年生まれの、モンゴル人民革命党書記長、総理大臣であった私生児ゲンデンが行った、ロシア連邦刑法58‐6、58‐8、58‐9、58‐11の条項に示された犯罪を審議し、前もって行った調査によれば、婚外子ゲンデンは一九三三年より日本のスパイ組織のメンバーであり、組織の指示によってスパイ行為を行い、モンゴル国家を日本のファシズムに直接従属させ、さらにモンゴルに政権転覆を行い、ソ連邦を攻撃せんとする日本国に、直接協力する目的を抱いて、ソビエトとモンゴルの政治、経済関係を絶つ目的をもって蜂起と破壊の組織を活発かつ広範囲に組織したことが確認されたため、私生児ゲンデンに最高刑、銃殺刑を科し、その全私有財産を没収するものとする」と決定し、さらに、「上告の権利はないので、迅速に刑を執行すべし」とつけ加えられ、その日のうちに執行されたのである。この一件書類の表題には「婚外子ゲンデン告発査問報告書第一二九一七〇号」とあり、ソ連NKVD次官フリノフスキーの一九三七年七月一七日の指令によってゲンデンを逮捕し、八月一五日、九月五日付けの訊問調書などがあり、それぞれにゲンデンの署名があるという(バーサンドルジ 98)。

なぜ「婚外子ゲンデン」か

ところで、判決文に現れる「ボタチ」というモンゴル語を私は時に「私生児」と訳し、時に「婚外子」と訳すというふうに揺れている。いまそのことにこだわると話がすすまないのでくわしくは述べないけれども、法律用語として用いられていると思われるときには「婚外子」という言い方の方をとることにしている。ではロシアの判決文が、ゲンデンを呼ぶときになぜ必ずそこに「婚外子」という枕詞をつけ、しつこくそう呼び続けたのであろうか。憎悪のあまり、このように、ののしりことばとして用いたのであろうか。そうとすれば法廷の用語としては偏見を含んでいてふさわしくない。私は次のように考える。

ロシアではその本人の名のほかに姓があり、さらに父の名をとった父称というものがある。たとえばレフ・ニコラエヴィッチ・トルストイの、ニコラエヴィッチは、父の名ニコライから作られた父称である。おそらくロシアの法律は必ず人名についてこの三つの要素を要求するから、ロシア人でなくて、ロシアの支配下に入った少数民族は法に従って、姓も父称も新たに作らねばならなかったのである。だから、モンゴル族のうちでもロシア領に入ったブリヤート人は、たとえばあの著名な学者ツェベーン・ジャムツァラノヴィッチ・ジャムツァラノーのように、ロシア国籍の名を整えねばならなかった。かれの名はツェベーン、父の名はジャムサランだったので、これを姓にも父称にも用いたのである。

しかし、ゲンデンは、ふつうのモンゴル人として、チベット語で「お坊さん」という意味のこの名しかなかった。そしてモンゴル人には、もともと姓(名字)はなく、父称もなかった。もし、多数のゲンデンがいて、それを区別する必要が起きた場合には、父の名をとって、誰々の(子)、ゲンデンと呼べばよかった。ところがゲンデンには父がいなかった。そこで、母の名ペルジドの名をとってペルジディーン(ペルジドの子)、ゲンデンと呼んで、他のゲンデンと区別したのである。ところがロシアの人名感覚からすれば、姓も父称もないというのは異常なことである。だから、姓あるいは父称に代わる「肩書き」として、「私生児」が法廷で用いられたのであろうと私は考える。法律がそう要求したであろうから。

ここで、モンゴル人には、いわゆる日本で言う「てて(父)なし子」にあるような差別感があるかどうかという問題はとても興味深い。

父がいない場合、たとえばそれに代わる、親族の男の名を用いるという習慣もないようである。たとえば、ゲンデン、アマルに代わって、かつてない独裁体制をしき、僚友を次々に処刑していったというチョイバルサン元帥、首相も、母親の名をそのまま用いたから、モンゴル人にとって、父がいないことはそれほど異常とは感じられず、ほとんど出世のさまたげにはならなかったのである。それどころか、両親の一方しかいないばあい、いわゆる「女手一つで」育てた子どものほうが、男手育ちよりもいい子になると教えることわざがあるという。いわく、

母が育てた子は頭が大きく
父が育てた子は尻が大きい

「頭が大きい」とは賢いという意味であり、「尻が大きい」とは好色だという意味だそうである。しかし、このことわざは、一人で二人の子どもを育てたある女性が教えてくれたものであるから、我田引水の説としなければならない面もありそうだ。ところで、ゲンデンの母はほんとうはペルジドではなくバルジドだったという伝えもある。モンゴル文字はわずかな書き方のちがいで、あるいは書き方が同じであっても異なるふうに読まれて、ペルジドではなくバルジドとなってしまうからである。

ゲンデンはこんなにも素朴で、モンゴルの草原からそのまま中央にやってきて、写真好きの首相になった人だったのである。

デミド国防相の死

首相のゲンデンがクリミアの保養地ソチで逮捕されてモスクワに移され、反ソ陰謀のかどで裁判にかけられているまさにそのころ、つまり一九三七年七月末ごろ、今度は国防大臣のデミド将軍がモスクワに呼び出された。その理由は、ソビエト赤軍大演習《マニョーヴル》観覧をするようにとソ連国防相ヴォロシーロフが招いたものだ。

将軍は七月二三日、妻や随員とともに自動車でウランバートルを出発して、シベリア鉄道に乗るためにウランウデに向かった。当時はまだウランバートルからシベリア鉄道に連絡する鉄道はなかったから、これがモンゴルからモスクワに向かう一般的な方法だった。そしてウランウデから実際にモスクワ行きの汽車に乗ったのは八月二〇日だったことが知られている。そして、八月二二日、そこでトムスクに向かう支線との分岐点になるタイガ駅に列車が着いたとき、将軍は客車内で謎の死をとげたのである。デミド将軍と、つき添っていた、砲兵廠長で師団長のG・ジャンツァンホルローの二人が遺体で発見された。タイガ駅を過ぎれば、ほどなくノヴォシビルスクという地点であった。この事件は国際的にも大きく報道され、日本でももちろん大きな話題になった。

遺体はそのまま一行とともにモスクワにとどいた。同行していたデミド将軍の妻ナプチャーは遺体を返してほしいと切願したが、ソビエト当局は聞き入れず、大急ぎで火葬にしたうえで遺骨はウランバートルにとどけられたという。

デミドの死は食中毒死だと伝えられ、ウランバートルでは党と政府の主催で、八月二一五日国民がこぞってデミドの死をいたむ集会が開かれた。しかしほとんど誰も、食中毒で死んだなどという説明を真《ま》に受けなかった。モンゴル人は「ソ連に行くときには、自分のコックさんを連れていかないと生きて帰れないからね」などとささやきあっていたという。議論の余地なく毒殺されたものと思われていた。

大阪にある国立民族学博物館で、ニャンボー氏が語ったところによると、「遺体には打撲のあとがあって、身体全体が茶色になっていた」と語った妻の話が伝えられている(小長谷 166)。デミド撲殺説は私もかつてモンゴルの新聞で読んだことがあったので、それに従って当時はそのように書いた。

「ゲンデン―デミド一派の陰謀事件」

ゲンデン―デミド時代と言われるほど、この二人は気脈が通じていて、ソビエト軍の駐留を拒み続けていたコンビであった。ゲンデン、デミド亡き後、八月には、ソビエトは第一七軍、三万の兵をモンゴルに進駐させたのである。

一九〇〇年生まれのデミドは、一二六年から二九年まで、ロシア、トゥヴェーリ(今のカリーニン)の騎兵学校での留学を終えて帰国すると、一九三〇年に全軍総司令官に、次いで国防大臣に選ばれた。三五年からは党中央委員会幹部会に属し、軍事面においても政治面においても、モンゴル国政の中枢にあった人物である。

言うまでもなく満洲国が成立し、それと国境を接するようになってからは、独立モンゴルの軍事面での最高権力者であった。何よりも、三六年、ソ連との間に相互援助条約が結ばれたときには、モンゴル側の当事者であり、満洲国との国境ボランデルスで衝突があった時期に元帥《マルシャル》の称号を得た。その経歴にはかげりがなかったのである。

デミドの死から二週間しか経たない九月一〇日、モンゴル人民革命党中央委員会は、「祖国の裏切り者と、モンゴルにおける日本の大規模スパイ組織の摘発と一斉逮捕」を発表した。組織の首謀者はソ連で療養中のゲンデン首相と、メンデ、ナムスライであると発表された。

さらに一か月近く後には、これにタイガ駅で怪死したデミドが首謀者に加えられ、「ゲンデン―デミド一派の陰謀事件」と通称されるようになった。今から考えてみると、ソ連が謀殺したと皆が思っているデミドを首謀者に加えたことは、これが謀殺であったという風評が一種の処刑であったという印象をますます強めるものでしかなかった。いずれにせよ、ソ連、コミンテルンとしては、ソ連から離れ、日本に心寄せる者は、皆こういうふうになるのだという恐怖心を植えつけてモンゴル人を脅迫するには効果満点の方法だった。こうした荒っぽい方法を通用させた点では、日本の関東軍もソビエト当局も、ぴったり呼吸が合っていたと言うしかない。

デミドをこのスパイ組織の加担者に加えたのは、ゲンデンを拷問して得た自白にもとづいていた。ゲンデンをクリミアからモスクワへ連れていって加えられた拷問から、ソビエト当局は実に豊富な収穫を手に入れることができたのである。

デミドはモンゴル軍の最高責任者として、ソ連との軍事条約の締結にも、ソ連軍の進駐にも強く反対していたから、ソ連にとってデミドは困った障害物だったのだ。

モンゴル人はこうした事件に口をふさいで黙っているしかなかった。何しろ、同行していたデミドの妻ナプチャー、通訳のTs・ドルジーエフなど、デミドの最期の様子を最もよく知っている人たちも、ウランバートルにもどるとすぐに逮捕されてしまったからである。デミドの妻ナプチャーは、逮捕されたとき、六か月の身重であったという(イチンノロブ170)。

死の真相

モンゴル人たちが、ゲンデン、デミドの死について、自由に語れるようになったのは、一九九一年、ソ連が崩壊し、最終的に消滅した後のことにすぎない。

一九七一年、北京を脱出して国外逃亡しようとした林彪の乗っていた飛行機がモンゴルで墜落した、いわゆる林彪事件を、実証的手法で興味深く描き出した、辣腕のモンゴル現代史家Ch・ダシダバー氏は、当時の新聞発表やモンゴル保安局に保存されている訊問調書などにもとづいて、デミド将軍の死に至る旅行を次のように復元した(「デミド元帥はいかに片づけられたか」『歴史・文化・政治』ウランバートル、二〇〇五所収)。

それによれば、デミドはヴォロシーロフの招きでモスクワに行くべく、ウランバートルを自動車で出発して、シベリア鉄道駅ウランウデに向かったことは、すでに述べたように(一三五ページ)七月二三日のことである。

ところがソ連との国境の町アルタン・ボラックに着くと、国防省から、急用ができたからウランバートルにもどれと電報がとどく。

国防省の参事官は、デミドの妻ナプチャーに、あなたは子供をかかえているんだから、ここで待って休んでいたほうがいいとすすめ、デミドだけがウランバートルに帰ろうとした。するとと同行の国防副相のG・サンボーが、妻が病気なので、自分もいっしょにウランバートルにもどりたいと言うと、デミドは、「お前は国よりも女房のほうがだいじなのか」と責めたというナプチャーの話を、ダシダバーは伝えている(上掲書84)。

サンボーのこの帰りたい気持ちは、デミドの言う通り、ささいな理由をあげてのものであるが、かれにはもしかして、今度のヴォロシーロフの呼び出しに応じたら、二度と帰れぬことを予感していたのかもしれない。というのは、すでに述べたように、サンボーは一九三五年のマンチューリ会議でモンゴル側の首席代表を務め、満洲国代表の神吉と親しくつきあい、満・ソの間にはさまって苦労した人であるが、三六年一〇月四日に解任されていたからである。

このときの経験からサンボーは、かつて駐ソ全権大使をしていたこともあったから、ソ連のやり方を熟知していた。サンボーはウランバートルにもどったが、マンチューリ会議でのかれの後任となったダリザブとともに、ほぼ三か月のちの一〇月二一日、日本のスパイという罪状で銃殺されてしまった。

サンボーとデミド

サンボーはおもしろい人物だったらしい。Ts・バトバヤルの研究によれば、三五年六月三日、マンチューリ会議が始まってすぐ、満洲国側の神吉と意気投合し、神吉はモンゴル側宿舎をたずねてサンボーと歓談し、翌々日五日に、満洲国側はモンゴル代表を招待した。そのとき「サンボーは大いに飲んで酔った。満洲女とダンスをした」と、当時の満洲の新聞は報じたという。神吉はその後新京にもどって、満洲国政府と相談してからマンチューリにもどって、サンボーとの間でハルハ廟問題について、いい解決を得ようと努力したらしい。

サンボーは、酔っていい気になってそれで終わったのではない。ハルハ廟は雍正一二(一七三四)年、ハルハとバルガの境界を定めて以来、ずっとツェツェンハーン・アイマクの領地であり、一九二一年以来それは変わっていないと、地図を示して主張しつづけた。

サンボーは外交交渉の代表としては立派に振る舞ったと言わざるを得ない。

しかしソビエト領事スミルノフは、それを許してはおかなかった。とりわけその一部始終のありさまを受け取っていたモスクワは。

とにかく、デミドはウランバートルにもどった。しかし、かれを呼びもどした電報の主は誰だったのかわからず、いまだにわからないままだとダシダバーは述べている。

デミドが再びウランバートルから出直してウランウデ駅に着いたのは八月一九日のことで、ちょうどそこからウランバートルに引き返して、ほぼ一か月後のことだった。そこから同行したのは先に述べたように、デミドとそろって遺体で発見された砲兵廠長ジャンツァンホルロー、駐ソ・モンゴル大使館書記長ゴンボスレン、国防省通訳Ts・ドルジーエフとその妻で、オムスク医科大学学生のダグズマーだった。

一行は、翌八月二〇日、いよいよウランウデ駅を出発してモスクワに向かう。見送ったのは、ソ連国防省代表アルヒンチーエフであった。かれはマンチューリから急行列車がやって来るので、それを待って乗ったらどうかとすすめたが、デミド一行は、それを待たずに、普通鈍行列車四一号に、特別車両を最後部に増結して乗り込んだとナプチャーは証言している。そうしてタイガ駅に着いたとき、デミドとジャンツァンホルローがどうなっていたかはすでに述べたとおりである。

ナプチャーはもう一つ興味深い証言をつけ加えている。ウランウデで一行を見送ったアルヒンチーエフは、帰りもあなたたちを自分がウランウデで出迎えると言っていたのに、帰りにはアルヒンチーエフはウランウデにはいなかった。たぶんかれも逮捕されたのではないかとナプチャーは推定している。

すすむ名誉回復運動

一九五四年、フルシチョフのスターリンを告発する演説を受けて、ソ連では粛清された人たちの名誉回復運動が進み、モンゴルもただちにそれに続いた。ソ連での場合とは異なり、モンゴルでは、自らの首相をはじめ、指導者が他国に連れていかれ、そこで処刑されたということによって、名誉回復運動は、ソ連とは異なった激しさを見せたのである。

一九六一年二月二三日、ゲンデンのモスクワ行きにあたって通訳を務めたドルジーエフの妻ダグズマーは、モンゴル人の名誉回復委員会に調査を要求した。それによると、デミド一行が乗った列車が夕方タイガ駅に近づいたころ、特別車両にしつらえた小さな円テーブルに食事が準備され、赤い水玉模様の紙に包んだ缶詰が出され、一同(デミド、ジャンツァンホルロー、ゴンボスレン、ドルジーエフ)とともにテーブルを囲んだ。デミドは食事の前に何か話をして笑っていたのを覚えているが、ダグズマーは、それをちょっと食べたところ気持ちが悪くなって気を失い、気がついてみると、かたわらに夫ドルジーエフと白衣の医師が立っていた。医師はダグズマーに心臓がとまったので、注射をしたと告げた。そのときにデミドはどうだったのか知らないなどと述べている。ダグズマーは自分が勤務している病院のあるオムスクで下車し、夫ドルジーエフはウランバートルに帰った。そしてその日にドルジーエフは内務省に逮捕され、その後の消息はわからないというのがダシダバーの調査の結果である。

第五章　受難のブリヤート人――汎《パン》モンゴル主義者

ゲンデン首相の処刑、国防大臣デミドの謀殺は、ソ連の陰謀工作機関NKVDが、モンゴル人民共和国の完全な従属化、傀儡化のために仕組んだ謀略であったことは誰の目にも明らかで疑う余地のないものだった。それはどのような視点から見てもソ連という国家のスキャンダルとして、世界にも広く知られていた。しかし、それはモンゴル人民共和国をねらう日本帝国主義の芽をつみ取るためというコミンテルン的弁明でいくらかは正当化できたかもしれない。

それに反して、これらゲンデン、デミド事件に四年先だって起きたいわゆるルンベ事件は、知られることが比較的少ないにもかかわらず、その後のできごとの基本的な枠組みを作ったという点で注目すべきものである。その全貌が明らかになり、目的がくわしく解明されるようになるには、ソ連邦の解体を待たねばならなかった。そしてそれは、単にゲンデン、デミド事件の前哨となるのみならず、さらにもっと深くコミンテルンの、対汎《パン》モンゴル主義への宣戦を示すものであった。

ルンベ事件

ルンベ(チベット語の表記はLhunpo)は一九〇二年に、モンゴル中央部の草原地帯、ウブルハンガイ州の貧しい牧民の子として生まれ、信仰あつい家の子の常として、僧院に小僧《シャビ》として預けられた。ところが時の流れで、一六歳のとき党学校に学んだ後、一九二九(昭和四)年から三〇年にかけてモスクワのクートヴェ(東方勤労者共産主義大学)で学んで帰国後、党中央委員会書記長になった。当時のモンゴルの首脳の一人となったルンべは、三三年七月二〇日ごろ逮捕され、はげしい拷問の末、日本の指導のもとに、スパイ組織を作って活動したこと、またソ連側があらかじめ準備した三一七人の名をあげたスパイ組織メンバーのリストを認めて自白し、国家反逆罪のかどで一九三五年に処刑された。

私の興味を引くのは、モンゴルの内部保安処特別委員会が一九三四年六月二五日、ソ連国家政治保安部から派遣された教官、チビソフ、セミョーノフ、コルポフなどが参加して作成した極秘の判決文である。それによれば、ルンべ一派は「日本軍参謀部《シタープ》代表のメルセーの指揮下に活動した」というくだりがある(ウルズィーバートル70)。

調査によって、ルンべの罪状をやや詳細に見ると、次のようである。ルンべはモンゴルに侵入した日本の特務タナカと会い、一七〇〇万トグリクの資金援助を受けた。この自白書はあらかじめ準備されていて、一九三四年一月二〇日にルンべは署名した。それにもとづいてルンべ以下三三人が告発されたのである(69)。

ここで言う日本スパイ組織の頭目というのは当時、満洲里《マンチューリ》で領事をやっていた田中文一郎以外の人とは考えにくい。

こうした裁判調書(自白)の原本を調べたモンゴルの現代史家D・ウルズィーバートルは、原文はロシア語で作製され、それからモンゴル語に訳されたものと推定している。その証拠としてかれは、「あらかじめ質問すべき項目は、а、б、в、г……と、キリル文字で順番がつけてあることであり、当時、モンゴルではキリル文字は全く用いられなかったはずである。だからこれはロシア語から訳されたにほかならないのである」としている。その自白文書は次のようである。

ジグジドジャブ率いる日本のスパイ組織に参加した。モンゴルを日本の庇護の下で富者のための国にするのが目的だった。日本から一七〇〇万トグリクの物資を受け取るべく合意した。党と政府内に分裂を引き起こすことを企てた。反対組織の集会を行い、反対工作を企てた。日本と協定を結び、日本のスパイ組織に多くの情報を与え、この工作にシジェー、バドラハ、ラーガン、ダンバドルジ、ジャダンバ、その他逮捕された者たちはすべてそれに参加した(ウルズィーバートル 66)。

と、ルンベは証言した。

メルセーはすでに述べたように、ダグール族で、ホロンボイルで独立運動を指導していた人物である（五六ページ以下参照）。

エスペランチストもまた

またこのリストに記された一人には、次のように、エスペランチストにはなじみの深いハヤンヒルワーの名も現れる。かれはモンゴルにはじめてエスペラントを伝えた人であるが、この自白にもとづくという名簿の中では、一九二六年以来日本のスパイであるとして、一〇年の刑を言い渡されている（ウルズィーバートル73）。かれは、たしかに、一九二四年にモスクワに滞在中、帰国の旅費がなくて困っていたところ、日本のエスペランチストたちの拠出で旅費を得て帰国できたことはわかっているけれども（『エスペラント』178）、そのことをスパイ組織と結びつけたのは極めて乱暴である。この一事をもってしても、日本のスパイというのが、いかに簡単に作られたかがわかる。

ルンベ事件はいかに仕組まれたか

ルンベ事件がどのようにしてでっち上げられたかについて、モンゴルでは多くの文章が発表されている。それらによれば二人の兵士が武装したままで満洲国に脱走し、そこからかれらが故郷にあてて書いたという手紙が日本にやとわれたスパイ組織の存在を明らかにしているというものだ。最近の諸研究は、これらの手紙は、組織を摘発するために当局が作ったニセ手紙だということを明らかにしている。このニセ手紙事件はくわしく見ていくと、いかにささいなことから事件がでっち上げられたかを示す例として、興味深いものではあるが、今はここで立ち止まらないで先に進もう。

「モンゴル領内にある、反革命、日本のスパイ組織の頭目」としてルンベが逮捕されたのは一九三三年七月二〇日ごろであった。当時ルンベは二一歳の若さだった(バーサンドルジ 47)。この逮捕は、前年に満洲国が誕生したことと深くかかわっている。

ウルズィーバートルによれば、前年一九三二年一二月に、モンゴル内部保安処のD・ナムスライと、内部保安処のソ連側顧問ドゥブロフスキーが、モスクワに行って指示を受け、ウランバートルに帰還後ただちに協議して準備したものであるという。そしてその標的は、革命を逃れてモンゴルに移住したブリヤート人であり、その目的は、かれらが満洲国の日本軍の手足となっているという証拠をあげることであった(ウルズィーバートル 51)。

ここで言う満洲国というのは、ホロンボイルに局限したほうがよく、その日本側スパイ組織の頭目は時にメルセーであったり、タナカであったりした。そしてソ連にとってのブリヤート人の危険性とは、かれらが抱きつづけている汎《パン》モンゴル主義にあった。

ルンベの日本への協力、反ソスパイ組織の全貌は、ロシアと地続きのモンゴル東北部、ヘンティー州支部における、この組織の摘発によって明らかになったという。証拠はすべて、三一七人にのぼった逮捕者の自白にもとづいている。これら三一七人のうち、五三人が銃殺、一二八人が禁固三〜一〇年、ソ連に追放された者一二六人という結果をみて終わった。

この、日本スパイ組織摘発の方法、自白を引き出すための訊問項目の作製、また訊問の方法を細かく考案したのは、ソ連内務省から派遣されてきた、グリゴリエフ、ツェレノフという、モンゴル政府に勤務する二人の教官によるものとされる(バーサンドルジ53)。

このスパイ組織を摘発し、逮捕状に署名したのは、党中央委員会書記長のエルデブ＝オチルと、首相ゲンデンであるとされる。ゲンデンは、このルンベ・スパイ組織の摘発を指示するとともに、後に、かれ自身が日本のスパイ組織の頭目として処刑されるのは、前に見たとおりである。

受難の構造

なぜこんなことが起きたのだろうか。ゲンデンは部下や仲間を生け贄としてソ連に提供することによって、とりあえず自らの身を守ったとする素朴な見方があり得るだろう。考えたくないことだが、ソ連との関係の中でそのような犠牲者を提供するのが、この国を破滅に導く瀬戸際で防ぐ方法だという本能的感覚が長い時間の中で作られていたのかもしれない。

このような図式は、後にノモンハン戦争においてはソ連と一体になって、ソ・モ連合軍の勝利を画し、さらに一九四五年には相互援助条約にもとづいて対日戦に参加した後、独立国家としてのモンゴルの国際的承認に一歩一歩近づけていったチョイバルサンにおいて、より大規模に演じられる。しかもこの過程は一つの民族の中で、一種の民族的性格として沈殿していったかもしれないほど一貫して進行したのであった。

認めたくないことだが、ゲンデン首相が残酷な拷問の末に認めさせられた自白書が、一九三七年を頂点として、一九四一年まで続行された惨劇の出発点になったことは否定できないことである。

ゲンデンが自白したという書類には、「日本の援助によって作られた革命組織」は、すでに「一九三二年にはじまる」という重要な一節があり、これはもちろん、ソ連側があらかじめ準備したものであるから、ここにはソ連側の一貫したなみなみならぬ執念が示されている。

そして、言うまでもなく、一九三二年三月一日は満洲国の建国が宣言されたのであるから、それを追うようにして、ルンベ事件が「発生した」のである。

さらに、あとでくわしく問題としてとりあげるが、摘発されたこの三一七人を出身民族で見ると、二五一人がブリヤート人、五四人がハルハ人、七人が中国人、その他の少数民族が五人となっている(バーサンドルジ55)から、ほぼ八〇パーセントがブリヤート人であった。またこの中国人とは必ずしも漢族ではなく、内モンゴル人が大半を占めているだろう。他の少数民族には、ツングース系の人たちやカザフ人も含まれているかもしれない。

標的はブリヤート人とパン・モンゴリズム

ブリヤート人とは、モンゴル、満州に接してその北に分布して住むモンゴル人の支族で、すでに述べたように、一七世紀以来帝政ロシアの征服によってロシア領となった結果、ロシアの臣民となった人たちである。

かれらはモンゴル諸族の中では最も早くロシア文化の影響を受けて、近代的な解放思想としての民族主義に目覚めた人たちである。かれらの中には帝政ロシアの宮廷に近づいて、チベット医学のお抱え医師になったピョートル（ジャムサラン）・バドマーエフ（一八四二～一九二〇）、またカザン大学で文献学の研究に従事し、モンゴル語の年代記をはじめて世界に公開したガルサン・ゴンボエフ（一八一八～六三）のような人もいた。かれらはすべてブリヤート人であった。

二〇世紀に入ると、かれらのある者は、ペテルブルク大学で学んで近代的なモンゴル学の基礎を築いただけでなく、モンゴルの政治的独立にも寄与するところが多大であった。その中で最も注目すべき人はジャムツァラノー（一八八一～一九四二）である。かれは一九一五年、外モンゴルの国家としてのステイタスを問題とした、キャフタにおける中国、ロシア、モンゴルの三者会談にモンゴル側の通訳として参加した。その際かれは、宗主権を主張する中国と、独立を求めるモンゴル王侯の要望を入れながらも、中国との均衡を求めるロシアとの間で、近代的な政治用語を駆使しながら重要な役割を演じた。

当時モンゴルとの外交関係の折衝にあたっていた、ロシアの外交官コロストヴェッツは、「ロシアとモンゴル人の交渉はブリヤート人の通訳によって維持されていた」と述べているほどである(401)。

この「ブリヤート人の通訳」とはツィベン(ツェベーン)・ジャムツァラノーを指している。かれはすでに一九一三、四年ごろ、「国家の権利」と題した小冊子を刊行し、この中で近代国家がそなえるべき議会制度、言論の自由の保証などについて述べ、来るべきモンゴル人の国家のための指針とした(田中一九九〇 197~198)。内容から見ると、この小冊子は、当時のロシアの法学者コルクノーフの思想によっている。

また一九二〇年にはモンゴル人民党(人民革命党の前身)の党綱領を書いただけでなく、一九二四年には、モンゴル科学アカデミーの基礎を作った。そして、ソ連に追放された後、三七年にはソ連当局によって逮捕され、四二年ごろに獄死するという運命が待っていたのであるが。

文部大臣になったエルデニ・バトハーン(一八八八~一九四一)もまたブリヤート人であって、一九二六年、かれは五人の少女を含む三五人のモンゴル少年少女を自らひきいて、ワイマール時代のドイツに留学させた。かれは、モンゴルの未来を担う青少年の留学先として、ソ連を選ばず、ヨーロッパを目指したのである(ウォルフ 247)。

この留学生たちのある者はライプツィヒで地図の作製と印刷技術を学び、モンゴル人による最初の地図を作った。モンゴル最初の近代文学の作家となったナツァグドルジ(一九〇六~三七)はこのドイツ留学組の一人であった。バトハーンはその後、ソ連に追放され、一九三七年ごろ当局に捕らえられ、一九四一年ごろ強制収容所で生涯を閉じたと伝えられる。

また、一九七〇年までモンゴルの人文学を担ったリンチェン(一九〇五~七七)もブリヤート人であった。かれは一九三七年九月に反革命のパン・モンゴリストとして逮捕され、銃殺刑になるところであったが、内務省顧問《ズブルフ》スコーコフの内諾を得てチョイバルサンが一〇年の刑に減じたという(ダムディンジャブ170、チミトドルジーエフ二〇〇七150)。

民族の前衛、ブリヤート人

ブリヤートの知識人たちは、かれらの故郷がロシア人、とりわけボリシェヴィキに支配されるのを拒み、その活動の場所をモンゴルに移す傾向があった。かれらにとって国境は存在しないも同然であったから、むしろボリシェヴィキの支配のおよばないハルハ・モンゴルを、モンゴル諸族の文化的・政治的拠点、共通の祖国として建設しようという願望を共有していた。

ブリヤート知識人の思想傾向は極めて多様、多彩で興味深いものである。それらを分析してみる試みはあったが、ソ連の解体までは、自由に行うことができなかった。私にとってとりわけ興味深いのは、ジャムツァラノーにおけるナロードニキ思想であった。かれの代表する流れは、「シベリア・ナロードニキ」などと分類されるようである。そうかと思えば、ジュール・ヴェルヌの『十五少年漂流記』を初めてモンゴル語に翻訳し、草原の子供たちを、まだ見ぬ別世界へと誘ったりしたのである。熱心な仏教徒で、仏教の教えでは、その思想は本来、原始共産制的であり、共産主義はモンゴル人にとっていわば当然の教えであって、いまさら権力による社会主義は必要でないと主張していた。

また、リンチェンのように左翼エスエル(社会革命党)の立場をとる者もいた。総じて反ボリシェヴィキと見てよく、方法は異なるが、モンゴル諸族の、中国、ロシアが行った分断状態の中で、文化と政治の一体性の回復をめざすものであった。

この言語、文化、宗教による、国境をこえた一体性の回復の願望は、ヨーロッパにおける一九・二〇世紀ナショナリズムからいち早く学んだものであったが、モンゴル族を支配する国家、とりわけロシアのボリシェヴィキにとっては迫力にあふれた恐怖の対象であった。

ソビエト政権は、革命を逃れてハルハ・モンゴルに移り住んだブリヤート人をロシアに帰還させるようモンゴル政府に要求した。ソビエト政権としては、これら脱出モンゴル人は潜在的反ボリシェヴィキ、反革命の思想をたたえた、おそるべき集団だと見ていたからである。ソ連大使ワシーリエフとモンゴルの外務大臣アマルとの交渉の過程で明らかになったのは、一九二四年九月五日の段階で、ハルハに住むブリヤート人はほぼ四〇〇〇家族、一万五八〇〇人にも達していたことだった(バートル 20)。

当時、外モンゴル全体の人口が六五万人とすれば、これはかなりの数である。ソ連はこのブリヤート人たちを潜在的な反ソ反革命分子だと見なしていた。隣接地に満洲国が誕生したのを機に、ソ連OGPU《オゲペウ》(GPU《ゲペウ》国家政治保安部の後身で、のちのNKVD)は、好機をとらえて、モンゴル領内のブリヤート人を一掃しようとうかがっていた。そこで仕組まれたのがルンベ事件だったというのが、今日のモンゴルの史家たちの共通した見解である。

しかし、ソ連にとって、モンゴルのブリヤート人を一掃しさえすれば、反革命の脅威が除かれるというわけではなかった。反革命の真の根は、じつはソ連の手のとどかない満洲国に逃げ込んだブリヤート人のもとにあったからである。よりく

シネヘイ・ブリヤート

わしく言えば、ホロンボイルのシネヘイ(錫尼河、あるいはシネヘーンとも言う)地区に住みついたブリヤート人たちであった。かれらは、十月革命のボリシェヴィキ勢力に対抗する最も強力な敵の一つであり、ザバイカル(バイカル湖東側)に依拠するアタマン・セミョーノフ軍とつながりがあった。

セミョーノフはコサックを父にブリヤート人を母として生まれ、ブリヤート人の民族的利益を代表していた。

満洲国が成立して興安北省の司令官となるウルジン・ガルマーエフ将軍は、一九一八年当時、アガ草原の指導者やツゴール僧院《ダツァン》を代表して、マンチューリにいたセミョーノフのもとを訪ね、セミョーノフと関係を樹立する。そして、セミョーノフの軍士官学校を卒業し、一九一九年にトロイツコサフスクに配備されたクリミア師団に加わった。クリミア師団がトロイツコサフスクを占領した中国軍に降伏した後、一九二一年に満洲に移住し、ハイラルから南方約三〇キロ

のところにあるシネヘイ旗(一一六ページ参照)に落ち着いて、牧畜に従事した。――以上が、日本軍が敗退した後に、進駐してきたソ連軍衛戍司令部に自ら出頭して述べた、ウルジンの経歴の一部である(バザーロフ『満洲国の中将ウルジン・ガルマーエフ』二〇〇二)。

ホロンボイル=興安北省は、もともと、ダグール族と一八世紀にブリヤートから移住してきたバルガ族が作った領域であることはすでに述べた。今、さらにそのうえに、やはり同じブリヤート人が、十月革命を避けて新しく流入してきてシネヘイ旗を編成し、シネヘイ・ブリヤートと呼ばれる新しいエスニック・グループを満洲国につけ加えた。かれらは単にエスニックに独自であるだけにとどまらず、強い政治的な信念を抱いていたから、政治的、文化的に決して無邪気と言える人たちではなかったのである。

独特のモンゴル=ツングース的世界

日本にもシネヘイ・ブリヤート出身の人たちが留学していて、その人たちとつきあってみて、私はかれらに対するときには襟《えり》を正して傾聴しなければならないような、自己の文化に対する独特の執着心をもっていることに注目していた。

かれらは、もちろんマンジュに住む人であるから国籍は中国であるが、文化的所属はロシアであると意識し、それを誇りとしている風がある。ロシア風の菓子を焼き、ロシア風の料理を好んで作る。これらはかれらが、アガ、ボルジャヤ、ダウリヤなど、ブリヤートの故土から携えてきた風習だからであろう。

かれらはボリシェヴィキの支配を拒んで満洲に逃れてきたという点では、いわゆる「白系露人」と同じ文化を共有していると言っていい。逃亡先の地を、決して中国東北地方などとは呼ばずに、マンヂュリアと呼んでいた。かれらの意識においては、そこはまた漢文化がほとんど支配しない、独特のモンゴル＝ツングース的世界であった。

このシネヘイ・ブリヤート地区は、ソ連当局から見て、満洲国に巣食い、時には日本に協力する極めて危険な反ソ分子の拠点と見なされていた。それはちょうど、一九三七年に、満洲国周辺に住むソ連領の朝鮮人が、すべて日本に協力する潜在的スパイだと疑われたのと同様である。そのため朝鮮人は中央アジアに強制移住させられたけれども、満洲国のシネヘイ・ブリヤートにはソ連当局は手を出すことができなかった。

そのうえシネヘイ・ブリヤートはそこからウルジンが現れたように、確信に満ちた反ソ活動、汎モンゴル運動の拠点として燃え上がるおそれがあった。事実、モンゴル人民共和国のブリヤート人は、バルガ＝ホロンボイルを通じて日本と関係をもっていると見なされていた。これが、モンゴル国内に創出された、日本の大きなスパイ組織を操るとされ、ルンベ事件以来一貫して行われてきた摘発に結びついていったのである。

ソ連当局は極東で朝鮮人に対して行ったのと同じ迫害をモンゴルのブリヤート人に加えた。

その実態はやっと二〇〇〇年代に入ってから解明されるようになり、いまや、モンゴルにおけるブリヤート人の迫害の実態が明らかになりつつある。

そうした著作の一つ、D・ダムディンジャブ氏の『モンゴルのブリヤート人』(二〇〇二年、ウランバートル)によれば、

一九一七年、ブリヤートの領主《ノヨン》、バザリーン・ナムダクや知識人《セヘーテン》ボグダーノフ(一八七八～一九一九)などの人物は中国の梅倫《メーレン》・章京《ザンギ》の役所(今日の内モンゴル、ホロンボイル盟《アイマク》)に行き、属民になりたいと申請したところ、一九二一年八月二八日、このブリヤート人をシネヘーンの里に定住させる許可が出たので、こぞって移住し、旗、ソムを設け、旗長にラドニーン・アビドを選出して業務を行わせた(32)。

ノモンハン戦争のとき、興安北警備軍としてソ・モ軍に対して戦った、ウルジン将軍もここに移り住んだ一人である。岡本俊夫はそのことを、「白系露人セミョノフ大佐の指揮下にあって、ロシア帝政復興のため赤軍と戦ったが破れ、機の来るのをシネヘイ部落で待っていた一人である。彼は熱心な仏教信者」だったと記している(岡本一九七九 106)。

革命の嵐を避けてマンジュに逃れてきたブリヤート人の中には、同じ仏教国である日本に移

り住もうとして、マンジュからさらに船に乗って日本にたどりついたけれども、言語上の困難があったため、日本にとどまることをあきらめて、さらにオーストラリアに向かった人たちも少なくない。かれらはそこに安住の地を見出したのである。

オーストラリアにはこのようなブリヤート人が二、三千人はいると伝えられていて、シドニーの郊外六〇キロほどのところにブリヤート人の集落がある(ダムディンジャブ32)ということは、かなり以前から知られていた。

シネヘイ・ブリヤートの反日反乱

シネヘイ・ブリヤートの人たちはしかし、決して単純に日本に協力したのではない、いかに独立不羈《ふき》の民であったかは、日本の敗戦時に起きたシネヘイ事件によって知られる。満洲国第一〇軍管区に属していたかれらは、日本人教官を殺して反乱を起こした。首謀者は参謀長のジョンジュルジャブ(正珠爾扎布)少将であり、このような反乱は、日本人の思い及ばぬところであった。というのも、かれは独立運動の志士として有名なバボージャブ(日本人は、その漢字表記、巴布札布によって、パプジャップと舌足らずに発音した。壇一雄の『夕日と拳銃』に登場する)の遺児として日本に引き取られ、陸軍士官学校を卒業した。ほとんど日本人として扱われ、日本名を田中と言って、興安軍部隊にいた。

しかしかれの妻は、すでに述べた凌陞《リンション》の娘であったというから、日本に報復する理由は十分にあったのである。

ジョンジュルジャブはソ連に抑留された後、身柄を中共軍に移されて撫順の収容所にいた後、釈放されて、一九六八年病死したという(佐村恵利編『元満洲国興安北省在住邦人終戦史録 あゝホロンバイル蒙古物語』一九九三年、『満洲国軍』、内田勇四郎『内蒙古における独立運動』一九八四年などによる)。

一九三二、三三年ごろ、日本のスパイの頭目、タナカの組織にやとわれたという罪状で、モンゴル人が、次々に処刑されることになった、そのタナカとは、このジョンジュルジャブである可能性もある。

モンゴル人民共和国東部州《ドルノト》、ヘンティー州に移住したブリヤート人

ロシア革命を逃れたブリヤート人の脱出先のもう一つは、モンゴル人民共和国であった。一九二六年の人民共和国政府の記録によると、この年、ブリヤート人の戸数は九二四三、総人口は三万五五一四人で、政府はかれらの生活の安定をはかるために、移住して最初の三年間は租税を免じたという(ダムディンジャブ 67)。移住先は、とりわけ東部のドルノト、ヘンティーの二つの州であり、一九三四年の統計では、両州のブリヤート人は一万四〇〇〇人、うち成人男子は約五〇〇〇人であった。一九三七~三八年の間に、五三六八人が逮捕された(バートル 66)というから、ブリヤート人への迫害は尋常ではなかった。かれらはモンゴル人民共和国の

住民の中では、内モンゴルからの移住者と並んで最も多く政治的な経験に富んでいた。

パン・モンゴル運動は、内モンゴルでもバルガでも、モンゴル諸族のもとでは、二〇世紀に入るとほとんど自然発生的に生まれた。切れ目なく続いていた、伝統的な民族地帯《エスニックゾーン》が諸大国間——この場合、中国とロシア——に分断されたモンゴル民族が、その言語が一方では漢化され、他方ではロシア化され、ついには自らの言語が消失していく運命にあることを自覚したとき、何よりも先に、その行く末に危機を感じるのは知識層であった。

そのような、自らの言語と文化の中心となるべきメトロポリスをもたない民族は、民族として存続しえなくなるという政治思想は中央ヨーロッパで形成されて、ロシアに持ち込まれてきた。ロシアは、この種の思想をはぐくむ豊かな土壌を提供した。モスクワでスラヴ主義の大会が開かれたのが、一八七六年であった。

モンゴル人の中で、このような思想にいち早くふれて理論化したのは、やはりロシア領に入ったブリヤート人であった。かれらは、ロシア人から数多くの先進的な思想を学びとった。だが、かれら自身が自らの夢と理想にパン・モンゴリズムという名を与えたという証拠を私はまだ得ていない。むしろ、革命前の思想的遺産の中から「パン・モンゴリズム」という用語をさがし出して、ブリヤート人の夢にその名を貼りつけたのは、一九二〇年代のコミンテルンとソ連当局だった。「パン・モンゴリズム」というこの語じたいは一九世紀にさかのぼる歴史をもっていることは次の章で見ることにする。

ソ連当局のもとで、パン・モンゴリズムには、独特の政治的内容が加えられた。すなわち「パン・モンゴリスト」のレッテルを貼られ、指弾された人物は、「反ソ、日本の手先、反革命を企てる者」と同義であるのみならず、そのうえ反社会的な性格破綻者という意味さえつけ加わった。この名は生存を許されない恐怖の烙印となってノモンハン戦争の前夜に猛威をふるい、今でもその恐怖の感覚は生きている。ロシアの新聞がこの名で私を指弾するとき、私自身泰然としてはいられない気持ちに襲われるのは、ブリヤートやモンゴルの人もまた、恐怖に満ちた視線を私に投げかけるからである。

第六章　汎《パン》モンゴル主義

ヨーロッパにおける「汎―」主義の出現

パン―(汎と漢字で写される)を接頭辞につけた文化＝政治運動は一九世紀中部ヨーロッパにあらわれ、一九世紀を特徴づける思想である。その最も古い形が、一八四八年にプラハで開かれたスラヴ人会議であり、パン・スラヴィズムの原形となった。

「汎《パン》―」主義は自ら国家を形成することが困難な、弱少な諸民族が、言語と文化の共通性にもとづく同系の諸族との連帯のうえに、国家あるいはそれに準ずる連合体を形成しようとする運動である。近代におけるこの種の「汎―」運動の起源は、たとえばオーストリア＝ハンガリー帝国の中で圧倒的に強力なドイツ語勢力から自らを守ろうとして連帯するスラヴ諸族の運動として、チェコ、スロヴァキア、セルビアなどに現れたのは自然なことであった。この例に見るように、「汎―」主義は民族の統合の進まない、あるいは統合に出遅れた後進民族のものであるから、先進地帯のイギリスとフランスにはこのような思想が現れる必要がなかったのは当然のことである。

ところが、元来は少数劣勢民族の連帯を求める運動が、優勢な勢力の主導のもとで、文化＝政治的な高揚に達することがある。たとえば、チャイコフスキーが作曲した「スラヴ行進曲」

もまた、一八七六年という時を考えれば、明らかに、露土(ロシア・トルコ)戦争に際しての、スラヴ勢力昂揚の中で書かれたものであった。

逆にロシアの支配下で、自立を求めようとするゲルマン系の諸族の中からは、それに対抗するパン・ゲルマン主義があらわれる。こうした「汎―」思想は言うまでもなく、比較言語学の発達がもたらした言語学的ロマン主義と深い関係がある。したがって「汎―」主義は、時にはひたすら「汎言語」主義というかたちをとって現れる。

ところが二〇世紀に入ると言語の同系性が、宗教の共通性にも拡大され、それを基盤としたパン・イスラム主義、また言語に加えて地域の共通性を根拠とするパン・アラブ主義なども現れる。南北、中央アメリカの地理的統合を表したパン・アメリカンという名は、航空会社の名にもなった、より罪のないものである。

しかしこの「パン―」主義は、アジアで応用されると、欧米ではたちまち憂慮のたねとして受け取られる。岡倉天心が「アジアは一つ」と言ったとき、それを英語で表現すればPan-Asianismととらえられるであろう。アジアにおいて「汎―」をとなえる動機は、打ち寄せる近代化のうねりの中で欧米文化に対して、後進的で競争力の弱いアジアの文化的価値の合力を求めるところにあるだろう。しかし天心においては政治的に無害であったものが、「大東亜共栄圏」という表現を得たときにはたちまちにして危険な表現と化してしまった。もちろんそれが用いられる状況があった。日本による東アジアの支配という野心が隠せなくなってしまったからだ。それを最も鋭く感じ取るのは、欧米の「列強」であり、アジアの内部では覇権のイニシアチブに同じく野心があって日本と競い、その勢力拡張に鋭い警戒心をもたざるを得ない国家である。

さて、「パン・モンゴル主義」と呼ばれるものは何か。それはロシアと中国の間でずたずたに分断されたモンゴル人――外モンゴル、内モンゴル、ブリヤート、バルガのモンゴル人たちが、同族の連帯を求め、統一をめざす運動のことである。そこには、単に文化の発展をめざして統一と連帯を求める文化運動から、領土的統一を求める政治的なものまであるが、その呼び方のモデルはあくまでヨーロッパにあった。ハイシッヒが、一九〇〇年以降にモンゴルで生じた「パン―」概念は、ドイツ・ロマン主義に起源があり、それがロシアを経由してモンゴルに到達したものだと示唆している(ハイシッヒ 42~45)ことに私は同意する。

ヨーロッパの非抑圧民族が統一国家を求めようという運動の基礎にあったのは「民族自決権」であり、それはやはり一九世紀ヨーロッパが生んだ解放思想の重要な一部をなしている。それにもかかわらず、この思想を抱くこと、その運動を展開することが死をもって罰せられる「国家反逆罪」と見なされるわけは、モンゴル諸族を分断し、支配するのが、ロシアと中国という大国であり、これら両大国のそれぞれの国家的統合を脅かす危険を宿しているからである。

さらにその後、「パン・モンゴリズム」というヨーロッパ製の文化＝政治用語こそ用いなかったものの、モンゴル諸族の独立運動を支援する勢力として日本が登場するにおよび、いよいよ許されぬ運動となったのである。その運動はもっぱら日本に操られていると見なされたからである。

ダウリヤ政府

パン・モンゴリズムが初めて具体的に政治的な形態をとったのは、一九一九年のダウリヤ政府である。ダウリヤというのは、満洲《マンジュ》の国境から約五〇キロの地点にある鉄道駅の名として残っていて、この名は「ダグール人」、「ダグールの地」に由来する。ダグールの「グ」は音声学的に言うと閉鎖音ではなく摩擦音［γ］であり、それが無声音化し、ついには消失すると、ダホル、ダオル、ダウルなどの形に到達するのである。したがって、これを漢字では「達斡爾《ダオル》」と写したのである。

ダウリヤ政府は、東清鉄道がシベリアに入ったばかりのこの駅の引き込み線に停めた客車の中で成立した。動く会議場、政府というのは、いかにも遊牧民に似つかわしい。

この年の二月に、チタに、ブリヤート人六人、ダグール人五人、内モンゴル人三人が集まり、それに日本の鈴江大尉（外国の文献にはすべて鈴木少佐として現れる）が加わって、準備会議を行った。政府の首班に内モンゴル、ジャライト族出身のネイジネイセ・ゲゲーン・ホトクトを戴き、首都をハイラルに置き、憲法を採択した。そして四月、ベルサイユの講和会議に代表を送った。一八九六年、インターナショナル・ロンドン大会も「あらゆる民族の完全な自治権」を支持すると決定したように、当時の潮流を鋭くとらえて、それに乗ろうとしたのであった。しかし、このダウリヤ政府には、外モンゴル、ハルハの最高権威者、ウルガ(クーロン)の活仏、ジェプツンダンバ・ホトクトが加わっていないという理由で、ベルサイユ会議はこの請願を受け入れなかったという。アメリカのモンゴル学者ルーペンによれば、セミョーノフのライバル、コルチャーク提督が、セミョーノフは日本の手先だと強く会議に働きかけて、この提案を葬ったのだという。

さまざまな要因があったにせよ、ハルハがダウリヤ政府の呼びかけに応じなかったのは、ジェプツンダンバがロシアを恐れたためであることはたしかである。というよりも、ジェプツンダンバは、ロシアのほうがより頼りになるという政治的判断にもとづいていたためで、これが正しい選択であったことはその後の進展の中で明らかになる。

鈴江は本気でダウリヤを支援するつもりであったにちがいないが、日本政府は、この話には乗らずに、支援をしなかった。結果としてダウリヤ政府は庇護者を失って瓦解し、ネイジネイセ・ゲゲーンは中国軍に捕らえられて銃殺された。

汎モンゴリズムの政治的実現

ダウリヤ政府の運動は、ロシア語で表現すればまさしくパン・モンゴリズムの政治的実現であったが、その運動を担ったモンゴル人たちはそのような政治用語には無縁であった。「パン・モンゴリズム」はロシア語から導入された政治用語であった。ではモンゴル人自身はどう呼んでいたのであろうか。モンゴル語では「ナルマイ・モンゴル・オルス(Narmai Mongol Ulus)と呼んでいた。あえて訳せば「あまねきモンゴルのくに」という、詩的なひびきをたたえた命名であった。

ところで、このダウリヤ政権樹立というできごとを、いちはやく「パン・モンゴリズム」運動として注目し、この表現を著書にとどめた一人は、北京とウルガに帝政ロシアの公使として駐在していたイワン・コロストヴェツであり、その著書『チンギス・ハーンからソビエト共和国まで』(邦訳『蒙古近世史』高山洋吉訳)には次のように述べられている。

この「パン・モンゴル運動(panmongolische Bewegung)を仕組んだのは「ブリヤートの分離主義者」であり(原文292)、「日本人に支援されたアタマン・セミョーノフも、この計画に共感を表明した」」(同293)。

ところで、日本で広く読まれ、いな、もっぱら日本語でしか読まれないこの著書の邦訳文では、コロストヴェツは、「日本はロシアに支配している無秩序をその政治的目的に利用しようとしなかった」(訳文408)となっている。本当にそうだったのだろうか。なぜだろうか。そこで原文にあたってみると、Die Japaner waren nicht abgeneigt, die in Rußland herrschende Unordnung für ihre politischen Zwecke auszunutzen. となっていて、その意味は、「利用することを嫌とは思わなかった」という微妙な表現ではあるが、全く逆の意味である。

高山洋吉という人は売れそうなドイツ語の本があると手当たり次第に訳した人で、その訳本を積みあげると数メートルにも達すると豪語し、その数メートル記念パーティーをやっていたと、今は亡き矢島文夫さんから聞いたことがある。コロストヴェツのこの重要な著作の翻訳は、日本の近代モンゴル史研究に大きな貢献をしているので、訳者の労は多としなければならないけれども、それを利用する人は、このような重大な誤訳があることを常に念頭に置いておかねばならない。

「汎モンゴル主義」という語の起源

コロストヴェツがブリヤートの分離主義者が仕組み、日本に支援されたとして「汎モンゴル主義」にふれるとき、そこにはロシアが感じる深い政治的な不快感が表明されている。そうした不快感はコロストヴェツのような帝政時代の官僚だけのものではない。そのような不快感はまた革命の担い手ボリシェヴィキにも受け継がれ、共有されていたことに驚かざるをえないのである。すなわち一九一八年二月、この語を用いた、左翼エスエルの機関紙『ズナーミャ・トルダー(労働の旗)』は、七月にはボリシェヴィキが発行停止処分にしたといわれている。その理由が、この語を用いたことにあったかどうかは明らかでないけれども。

ところが、このように否定的なニュアンスのつきまとっていた「汎モンゴル主義」が、ロシア革命の初期、変革の気分の高揚期に、一種の解放の情熱の表現として使われたことは興味ぶかい。すなわちロシアの知識人たちには、それまでのようにたえまなく西欧文明に対して慕わしげなまなざしを西に向け続けるのではなく、革命を機にあえて視線を東方に向け、新しい風を求めようという志が現れたのである。

ブロークの「スキタイ人」

そうした雰囲気をいきいきと伝えているのはアレクサンドル・ブローク（一八八〇～一九二一）が一九一八年に、『ズナーミャ・トルダー』紙に発表した「スキタイ人」という詩である。

そうだとも、我々はスキタイ人だぞ！
つりあがった、がつがつした眼をした
アジア人だぞ　我々は

一九節からなるこの詩は、途中で、ロシア人はもはや、西欧人を野蛮のアジアから守るためのタテにはならないぞという一節をへて、終わりは、

もうこれきりにしようぜ――正気にかえれ、古い世界よ、

労働と平和の兄弟愛の宴《うたげ》へと
もうこれきりにしようぜ――輝く兄弟愛の宴《うたげ》へと
未開のたてごとがいざなっている

と結ばれている。

一九一八年にこううたったブロークは、一九二一年に革命の熱に疲れ果てて亡くなった。

この詩を理解するためには、「スキタイ人」が、ロシア人に、どのようなイメージを喚起するかを知っておく必要がある。「スキタイ人」はすでにギリシアの歴史家ヘロドトスが述べていることによっても知られる有名な古代の草原遊牧民族で、ロシア文化に非ヨーロッパ的要素を加えたのはかれらだと意識されている。そのスキタイ文化はまた、今もなおモンゴルやカザフの遊牧文化の中にそのまま受け継がれていると考えられている。したがってスキタイ人は、元来洗練されたヨーロッパの文化に対して、アジア的野蛮な要素をつけ加えることによって、ロシアをアジアから切り離し、ロシアの形成にあずかった。すなわち、ロシアの野蛮なアジア的要素はスキタイ人のせいだという見解がある。

ところが、ブロークは革命を機会に、ロシアの知識人がネガティブに考えてきた自らの文化を肯定的に評価し、自らをあえて、スキタイ人だ、アジア人だと宣言したのである。

この詩は、そこに現れる「つり上がった」、「細い」(раскосный, узкий)目とか、あるいは「野蛮」とか「未開」とかの西洋人にはおきまりのネガティブな人種的特徴づけをもったモンゴロイドに、むしろ古びた西欧文明からの決別を託したものである。

パン・モンゴリズムの発明者―ソロヴィヨフ

注目すべきは、詩篇「スキタイ人」のエピグラムには、ウラジーミル・ソロヴィヨフ(一八五三～一九〇〇)のパン・モンゴリズムと題した詩の冒頭の一節が掲げてあることだ。いわく、

パンモンゴリズム！　この名は粗暴なれども
私の耳にはやさしく響く

Панмонголизм. Хоть имя дико,
Но мне ласкает слух оно,

このエピグラムは、かれが亡くなる直前に発表した「反キリストに関する短編物語」と題する小篇に引用される。そこにはソロヴィヨフが〝パンモンゴリズム〟ということばを思いついたいわれが、次のように説明されている。

西暦二〇世紀は、最後の大戦争、内乱、そして革命の時代であった。対外戦争のうちで最大のものは、前世紀末期に日本で発生したパン・モンゴリズムという精神運動をその遠因

としているものであった。模倣好きな日本人たちは、驚くべき速さで巧みに、ヨーロッパ文化の物質的な諸形式を取り入れ、また、低次のヨーロッパ理念のいくつかは身につけた。彼らは新聞や歴史の教科書から、西欧に汎ヘレニズム、汎ゲルマン主義、汎スラブ主義、汎イスラム主義が存在していることを知ったものだから、自らもパン・モンゴリズムなる大思想を唱道した。つまり、自らの主導の下に東アジアの全民族を一丸として、異国人すなわち、ヨーロッパ人に決戦をいどむよう声をあげたのだ(ソロヴィヨフ原文154、邦訳208)。

ソロヴィヨフは「汎――」主義の先行モデルをいろいろと掲げたあげく、「前世紀末期」すなわち、一九世紀に、日本人は持ち前のものまねの才をはたらかせて「パン・モンゴリズム」を発明したというのであるが、本当は日本人に対するちょっとほめすぎであって、ものまねの才はそこまでは及ばなかった。

ソロヴィヨフの日本についての知識は、一時、東京外語のロシア語教師にもなったレフ・メーチニコフ(一八三八～一八八八)がフランス語で著した『日本帝国』(一八八一)によるところが大きいと言われる。

モンゴル＝「黄色人種」

先の一節の引用から明らかになるように、「パン・モンゴリズムという精神運動」は日本で発生したと言っているにもかかわらず、なぜ「モンゴル」なのか。

ここに言う「モンゴル」とは、ソロヴィヨフが、日本への絶大な関心をもって「古事記」などを読み解きながら、一八九〇年に発表した「日本——歴史的性格描写」の中に、次のように現れる。「概略的には、日本人は、中国人やチベット人や満洲人等が属している蒙古人種もしくは黄色人種と関係がある」と(邦訳293)。

この圏点をつけた部分は、ロシア語の原文では、Монгольское или желтое племя《プレーミャ》となっていて、このプレーミャは、後ほどソビエト式マルクス主義人類学でもしきりに議論された概念であるが、ここに訳されているように、いわゆる人種と理解しておいていいだろう。したがって、今のところはそれが、狭い意味での「モンゴル人」ではなくて、いわゆる「モンゴロイド」、「モンゴル系人種」というふうにさえ理解しておけばいい。もっと単純化して言えば、あっさりと「黄色人種」と同義語であると考えればいいのである。

したがってさきほどの「短編」の中で、日本人たちは「近い将来この白い悪魔を我がアジアより追い出してしまう。いやそれどころか、奴らの国々を征服して、全世界の上に君臨するほんものの中華の帝国を創るであろう」と(ソロヴィヨフ、邦訳210)恐怖の予想が語られるのである。

ソロヴィヨフの見た悪夢

ソロヴィヨフがまだ見ぬ二〇世紀の悪夢とは、この全世界を支配する「中華帝国」は「中国人を母に持ち、中国的な狡智と柔軟性をあわせ、日本的な精力性、敏活性、進取性をそなえた」日本朝廷出身の皇帝に統治されるという筋書きである。そして、「トンキン〔ヴェトナム〕とシャム〔タイ〕からフランス人を、ビルマからイギリス人を放逐する」(ソロヴィヨフ 211)という悪夢は、本当に実現してしまったのである。

ここまで見てくると、ソロヴィヨフの「パン・モンゴリズム」の「モンゴル」とは中国も日本も含まれており、これらが合体した「黄色人種」を指していることは明らかである。

ソロヴィヨフが詩、「パン・モンゴリズム」を書いたのは、一八九四年の一〇月一日、フィンランドのサイマ湖畔で「迫り来るモンゴル〔人種〕の脅威を特に強く予感した」時であったという。つまり、この年の八月に始まった日清戦争がソロヴィヨフに与えたショックが彼に書かせたものである。

ソロヴィヨフの、アジアにおける動きに対するこのすばやい反応は、他のヨーロッパ世界にもただちに受け入れられた。その詩の一節はドイツでは次のように、いくぶんねじ曲げられて、より戦闘的に訳されている(ゴルヴィツァー 129)。

すでに黄色い人間たちが興奮しながら
我先にと戦闘準備をととのえる
すでに幾百万もの銃剣が

中国の国境線で突撃命令を待っている

ロシア生まれのパン・モンゴリズムは、もともとドイツで発生した「黄色い恐怖(gelbe Gefahr)——黄禍論」と出会って、より強烈な化合物へと発展していったのである。アジアから遠くへだたったドイツに与えたパン・モンゴリズムの衝撃はまだ外的なものにとどまっていたが、ソロヴィヨフはロシア人が感じとる脅威をはるかに深く内面化した形で表現している。第八節ではそれを次のように歌う。

おおロシアよ、過ぎし日の栄光など忘れるんだ……
双頭の鷲は悲嘆のどん底
黄色いやつらのなぐさみものに、
おまえの旗はずたずたに裂かれて与えられている

ここには、世紀末のいたいたしいまでに傷ついたロシアが描き出されている。

ソロヴィヨフにおける「パン・モンゴリズム」のひろがりはさらに大きなものであった。

詩「パン・モンゴリズム」の第四節には、

マレーの水域よりアルタイまで
東の島々の頭目どもが
蜂起したシナの長城に
幾万もの軍勢を集わせた

とあるから、この「汎―」は本来のモンゴルにとどまらず、「マレー半島からアルタイ山脈まで」を含み、中国の万里の長城までが登場する広域を指していることを考えると、いよいよ、東アジアの人種としてのモンゴロイドを言っていることは疑いの余地のないものとなる。

コミンテルンは、この古めかしい、かれら自身が否定し、捨て去ったはずの人種主義――ヨーロッパの黄色人種＝モンゴロイドに対する恐怖心――を利用するために、この「人種」概念を、「モンゴル諸族」という民族概念に狭め、国家間に分割された、モンゴル諸族の統合運動を禁圧する武器として利用したのである。

ボリシェヴィキとコミンテルンの恐るべき応用能力は、かれらの言う反動思想家ソロヴィヨフが発明した、人種としての、つまり黄色人種としてのモンゴロイドに対する西欧人の恐怖を、今度は意味を狭めて民族としてのモンゴル人、ブリヤート人に適用し、かれらの統合を禁ずるために利用したうえで、人種主義的なにおいのぷんぷんするモンゴロイドの概念を言外に前提したのであった。

中国版パン・モンゴリズム―「三蒙統一」

パン・モンゴリズムというヨーロッパ的表現によらず、その内容だけを汲みとって、具体的な政治のコンテキストで表現したのが、中国で用いられるようになった「三蒙統一」という表現である。それは次のように用いられる。

日本の一橋大学教授の田中克彦はある学会で「モンゴル民族は、一つの完成された民族として悠久の歴史、独特の文化と民族的伝統を持っており、独立、統一した国家の建設に努力すべきだ」と説いた。この二年来、彼は学術交流というかくれみのをまとって、モンゴル、ソ連のブリヤート、内モンゴルを往き来し、もっぱら「三蒙統一」の橋渡しをしている(内蒙古国家安全庁、一九九三年三月二四日)。

ところが、それから一四年たった二〇〇八年には、「三蒙統一」主義という、政治をむき出しにした表現は、おそらくロシアに習った、より思想的な背景と奥行きを感じさせる「汎蒙古主義」(「泛蒙古主義」)という表現に変わった。しかしソロヴィヨフが用いた「モンゴル人」の中には、たとえば「モンゴル国」や中国内モンゴル自治区などの狭い意味での「モンゴル族」のみならず、アジアの黄色人種、そして何よりもたいせつなことは、漢族も入っていたことはこれまで見たとおりである。そのことを知るならば、「三蒙統一主義」を「汎モンゴル主義」と等価で言いかえることはできない。

では、日本はパン・モンゴリズムに支持を与えたであろうか。否である。そのことは何よりも凌陞の運命が雄弁に物語っている。なおその上、次のことを忘れてはならない。

ノモンハンにおける満洲国軍と日本軍の敗北は、ソ連、ボリシェヴィキとコミンテルンが、モンゴル諸族が追い続けてきた夢、パン・モンゴリズムに最後のとどめを刺すための、かけがえのない機会を与えたということを。

第七章　ソ連、モンゴルからの満洲国への脱出者

ノモンハン戦争が差し迫った前年の一九三八(昭和一三)年、まさにその前夜、ほかならぬソ連の諜報機関から、かなりの責任ある地位の高官や軍人たちが、国境を越えて満洲国に脱出してきた。なかでも、モンゴルから脱出したビンバー大尉は閉ざされたモンゴルからの最新情報をもたらした人として特に注目された。これらの事件は、公表されて、日本の新聞にも大々的に報じられた。

その脱出の理由など、かれらに関する情報の一切は関東軍が握っていて、そのすべてが必ずしも率直に公表されたわけではないが、亡命の理由が、かれらがそのままソ連にとどまっていると生命が危ないということは事実であったとしていいだろう。

まず何よりも、一九三七年に始まったソビエト赤軍大粛清の恐怖であった。この粛清の波はソ連のみならず、モンゴルにも連動して起きたので、ソビエト世界での、国境を越えた一連の動きと見ることができる。もっともモンゴルでは、すでに見たように、一九三三年からルンベ事件を皮切りに、亡命ブリヤート人をねらった大粛清が進行中だったから、ソ連での粛清の波は二重にモンゴルを襲ったのである。

フロント少佐とリュシコーフ大将

軍事粛清の引き金は、ソ連最古参の元帥トゥハチェフスキーから始まった。この名望ある将軍は、三七年五月下旬に逮捕され、六月一二日には反逆罪で銃殺された。トゥハチェフスキーは、自らもバイオリンを弾くだけではなく、それを製作することもできた大の音楽愛好者として知られ、スターリンに批判されて失意にあったショスタコーヴィッチを心から支えて、なぐさめることのできた魅力ある軍人だった(ファーイ 47, 131, 132)。

最初にモンゴルから亡命してきたのは、在モンゴル・ソビエト駐留軍参謀少佐、ヤルマル・フランツェヴィチ・フロントであった。一九〇〇年生まれ、フィンランド系の、このレニングラード士官学校出の秀才は、ウランバートル東南四〇〇キロほどのところにあるサインシャンダの基地から自動車を運転し、内モンゴルとの国境ザミーン・ウーデから脱出して、五月二九日に満洲国にたどり着いた。「素晴らしい頭脳と洞察力」(西原 159)をもっていたかれは、関東軍に、予想される対ソ戦で留意すべきことを教えたが、関東軍の飲み込みの悪さにうんざりしていたという。関東軍の完敗を見越したかれは、敗戦の直前、関東軍の助力を得て満洲国を脱出したが、そのゆくえは「杳《よう》としてこれを知る者がない」ということである(西原 158)。

次いで、六月一三日早朝五時半ごろ、琿春《ホンチュン》東方の「鮮満国境」から越境したのが、ゲンリッヒ・サモイロヴィチ・リュシコーフ大将であった。かれは「樺太人の血を受けオデッサに、仕立屋の息子として生まれ、一九一七年の革命に参加した。「内務人民委員部(ＧＰＵの後身)」のソ連極東地方長官であったかれは、脱出後、満洲国から東京に移されて、日本陸軍のために大いに働いた。敗戦直前、東京よりは安全な場所として関東州に移されたが、関東軍の不手際で大連という極めて危険な場所におかれた。結局、ソ連の侵攻を目前にし、ソビエト軍に捕まるのをおそれて、竹岡大尉が「拳銃によって射殺した」(西原 132、竹岡)。

リュシコーフの亡命を公表したのは陸軍省で(一九三八年七月一日付)、『朝日新聞』をはじめとするいくつかの新聞が、翌日号外を出して大々的に報道し、またリュシコーフ自身も翌三九年、雑誌『改造』に五回も論文を発表したと佐々木洋は述べている(メドヴェージェフ 251〜252)。亡命者はこの二人に限らない。かれらはみな、トゥハチェフスキーの処刑を見るや、すぐさま自らの運命を予想して、ソ連からの脱出を計画し、実行したのである。

こうした日本側に寝返った脱走者のことをソ連はどう考えているのだろうかと思い続けていた。一九八九年、ハルハ河会戦五〇周年を記念して催されたモスクワの円卓会議に招かれた機会を利用し、私はソ連の戦史研究所の研究員、ジモーニン大佐に頼んで、この二人の記録が戦史研究所に残されていないかどうか調べてもらったが、「ファイルにはない」という返事だった。またジモーニン大佐自身も知らないようすだった。ロシアでは今までは隠され、無視されてきたけれども、これから大いに研究してもらいたい二人である。そして私は今では、勇気ある二人だったと思っている。

モンゴル言語学の巨匠ポッペ

軍人ではないが、二〇世紀最大のモンゴル言語学の巨匠《マエストロ》だと言っていい、ニコライ・ポッペもまた、モンゴル語の一方言であるカルムィク語の研究のためのチャンスを得て、モスクワを離れ、カルムィクに滞在するチャンスをつかんだのである。一九四二年、ナチの占領下に入ったカルムィクを通って、ドイツ経由でアメリカに脱出した。ポッペはその自伝の中で、すでに一九二七年に秘密警察から呼び出されて以来、逮捕におびえていた(ポッペ 199～200)。モンゴル学者はすべて、早くからねらわれていた。有名なA・V・ブルドゥコフが、監獄の中で餓死したことを、ポッペはあとで知った。ボン大学のモンゴル語講師をしていて、ポッペとも親交のあった内モンゴル出身のハルトードさんは、ポッペ先生は満洲国の市民権を獲得することも考えておられたと、一九六五年ごろ、私に語った。満洲国は一時的にはそれほど魅力的に見えたかもしれないが、ポッペはその道を選ばなくてよかった。ドイツを経てアメリカに脱出し、一九九一年まで、精力的にモンゴル研究に貢献した。その間、たびたび来日して、東洋文庫で研究をしていた。私は当時、ひたすらモンゴル語を学ぶ学生として、後に朝鮮語学者となった菅野裕臣君に誘われて、機会をとらえてはポッペに会いに行った。

モンゴルから脱出したビンバー大尉

フロントやリュシコーフの亡命に比べれば、モンゴル人民共和国そのものから脱出したビンバー大尉には、はるかに多くの日本人が関心を持った。

ビンバーとはモンゴル文語形による読み方で、今日のモンゴル国の標準ハルハ方言形ではビャンバという。当時、脱出したかれを迎えた日本人たちはみな、モンゴル文語を、たいていは内モンゴル方言で学んでいたから、このように呼んだのであろう。私もそれにならってビンバーとして話を進めよう。

かれは『朝日新聞』の求めに応じて自らの生い立ち、レニングラード士官学校への留学などについて述べた後、モンゴルにおいて、吹きすさんでいる粛清の嵐について、そしてそこからどのようにして脱出してきたかについてくわしく述べた。

上官の命令を受けた脱走

この連載は一九三九年八月二六日、ノモンハン戦争のさなかに、『朝日新聞』から、『外蒙古脱出記』として一冊にまとめて刊行された。私は、こうした本の存在は知っていたけれども、かなりの部分が関東軍関係者による宣伝用のでっち上げだろうと思っていた。しかし、モンゴルがいよいよソ連の支配から離れて、自由な出版が始まったとき、それらの出版物が報ずるところと比較してみると、意外なことに、モンゴルで明らかにされたことは、ほとんどビンバーの手記の内容と一致していることがわかった。そうこうするうちに、この脱出記は一九九一年一月にウランバートルの新聞に一部が訳載された後、五月には一冊になって出版されて、モンゴルではセンセーショナルな話題になったらしい。

私はその年のシンポジウムに参加したとき、モンゴルのプレブドルジ中将に、あのビンバーが語ったことはほんとうでしょうか、たとえばあそこに出てくる参謀長のマルジというのは、聞いたことのないモンゴル人名だけど、ほんとにそんな人がいたのですかと聞くと、「ほんとうだとも、マルジというのはマルチン(牧人)と同じで、一九三七年一〇月に処刑された人だ」と裏書きしてくれた。それだけではない。最近の著書で、ウルズィーバートルは、「参謀次長ダンバが、日本と連絡をとるために、第六師団クラブ長ビャンバを脱走させた」と裏書きしている(ウルズィーバートル 246)。ダンバは翌三九年一月、すなわち、ノモンハンの衝突の直前に逮捕されたのであるから、状況は切迫していたのである。ビンバーの脱走は上官の命令を受けて決行された悲愴なものだったことがわかる。

プレブドルジは一九九一年の東京シンポジウムの際に、ソ連軍の犠牲が、日本軍に劣らず大きかったことが報告され、「それでモンゴル軍は何人死んだのですか」と聞かれたとき、ぼそっと、「二六五人」とだけ言って肩をすくめたのを私は印象深く覚えている。その答えに対して、さらに質問する人はいなかった。せめて数千とでもいうのなら、問いは続いたのだろうが、あまりのことに、それ以上問い続けるのは、なぜか、はばかられる気持ちがはたらいたのである。最近の研究では死者二三七人、行方不明三二人という数字があがっているが(バートル 57)、いずれにしても、かんじんのモンゴル軍は本気で戦っていないのである。プレブドルジはノモンハン戦争全体について否定的でシニカルだった。あれはソ連が私たちの手足をもいでおいて勝手にやった戦争だよと言いたげだった。

ビンバーはどんなふうに越境して満洲国に逃げたのか。かれのくわしい証言によれば、一九三八年八月一八日夜九時に二頭の馬を連れて、タムサグ・ボラクを出発し、午前四時に国境を越えて、新バルガ右旗のハンベン廟《スム》に午後三時ごろたどり着いたと述べている。

私の関心は、先ほど見てきたソ連からの脱出者フロント、リュシコーフなどの例もあることだから、その後ビンバーはどのような運命をたどったのかということである。

ビンバーのそれから先ははかないものであった。一〇月六日の『朝日新聞』が「志士ビンバー国境戦に散る」と大きな見出しを掲げて報じたところでは、ビンバーは「志願して第一線に従軍」し、「九月〇日」、つまり停戦を間近にしてバルシャガル高地で戦死したというものであった。二六歳であった。不可解な疑問として残るのは、なぜこのような貴重な人材を、日本軍はいとも簡単に危険な場所に出して死なせてしまったのかということである。

古木俊夫とハイシッヒ

ところで、このビンバーを迎え入れた側で、かれの世話にあたっていたのは、この本の解説によると、満洲国治安警務司、古木《ふるき》俊夫という人で、『脱出記』の三ページには、ビンバーと談笑している古木氏の写真がある。そしてまた、朝日新聞出版局のはしがきによれば、『脱出記』の訳者古木俊夫は新進の蒙古研究者で、「劇務中を特に本社のために手記翻訳に当たられたのである」と紹介されている。

ドイツにおける私のモンゴル学の先生、ハイシッヒは、日本に来るたびに、必ず訪問される場所が二つあった。一つは徳島城と、もう一つは霧島高原であった。徳島城は鳥居龍蔵の遺品を守っておられるきみ夫人に会うためだった。そして霧島で会うのは、たぶん、そこでユースホステルの管理人をして暮していたと聞いているこの古木氏であったと思われる。この古木という人は、ハイシッヒ先生とは、その話し方から特別な間柄であったことが感じられた。しかしそれはあとでわかったことで、ハイシッヒ先生は、いつもコギ、コギと言っておられたから、私はフルキとコギが同一人物だとは気がつかなかったのである。

ハイシッヒ先生は二〇〇五年に亡くなられたが、そのちょっと前、ビンバーのことは、日本で誰に聞けばいいですかとたずねたとき、それはコギだよ、私から聞いたからと言って訪ねていけばきっと何か教えてくれるよと、ささやくように言われた。

私はコギさんに会ったら、ビンバーのことだけでなく、満洲におけるハイシッヒ先生のなぞめいた調査活動についても聞くことができると思っていたのだが、それを果たさないうちに、コギさんが亡くなられたことを新聞で知ったのである。ビンバーの脱出行が、先に述べたように、実際に参謀次長(日本側では軍団長とする)からの重要な任務を帯びていたとすれば、関東軍の反応には、ますます不可解なところが残る。コギさんは、どんな秘密をもって世を去られたのだろうかという悔やみはいっそう深くなるのである。

ハイシッヒと満洲国

ハイシッヒ先生は当時、ドイツ軍の連絡将校となって満洲国に乗り込み、このチャンスを利用して、満洲国興安諸省でフィールドワークをやっていたのだと私は想像している。本書を書くにあたって参考にしたハイシッヒ先生の博士論文「満洲国興安諸省におけるモンゴルの文化変容」(一九四四年)はその時の成果である。一九六五年、たまたまボンの古書店でこれを見つけたとき、ハイシッヒ先生のお弟子さんで、東ドイツから逃げてきたチベット学のザガスターが、これはめったにない本だ、あなたにきっと役立つから買っておくといいよと言った。私は買ってそのままにしておいたのだが、いまこの本を書きながら再び、特別の思いで対面することになった。

ハイシッヒの生涯かけたモンゴル語文献研究の全貌を一般読者向けに興味深く描き出した『モンゴルの歴史と文化』(岩波文庫)の中には、日本軍が満洲国の興安省や内モンゴルで作ったモンゴル語による宣伝ポスターが収めてある(13, 330)。これはドイツ語版原書にはないものを、私が日本語版のためにお願いして特別に入れたものである。ハイシッヒさんは、こうした、日本軍が作ったポスターまで保存しておられた。尋常なこととは思われないのである。このあたりの記述を見ると、まだ三〇歳ごろの若きハイシッヒが、どのような目で満洲国における日本軍の動きを見ていたかを想像させて興味深い。

第八章　戦場の兵士たち

日本の兵士たちは戦場で克明に日記をつけ、ときには歌を詠んだりしている。ソ連の軍隊では決して許していないのに、日本の軍隊はおおむねそれを禁じていなかった。ほんとうは、こんなに危険なことはないのである。太平洋戦争中、戦場で倒れた兵士たちが残したこれらの日記帳や手帳が敵の手に落ち、それで日本軍の状況が知られ敵を大いに利することになったとドナルド・キーンは指摘している。かれは大学で日本語を学ぶ学生だったから、アメリカ軍でそのような仕事を担当していたということである。

日記に記された兵士の心情

ソビエト軍は兵士たちに対して、戦争目的をはっきりと掲げていた。ソ連の参戦はソ・モ相互援助条約という国際条約にもとづいており、友邦モンゴルを日本帝国主義の侵略から守るという疑いのない動機があった。

ホロンボイルの戦場の日本の兵士たちは、その戦争の目的は何か、どのようになったら勝利になるのか、始めたらいつ終わるのかに疑問を持ちながら行動していることが、かれらの残した日記からよくわかる(ノモンハン会編『ノモンハン戦場日記』)。戦場のかれらが何を思ってその場にいたのかも率直に記されている。

かれらは、この戦争が、ドイツを中心とするヨーロッパの動きによって、自分たちの行動にも影響が現れることをよく知っていた。ヨーロッパの状況が変われば、この戦場にいること自体が無用になることすらも。この点で興味深いのは一等兵長野哲三のものである。編集者の注によると、御両親が息子の思い出として、一九四五(昭和二〇)年三月一〇日の東京大空襲の中をも大切に残されたものだという。その中から停戦間近なころのいくつかを拾い出してみよう。

九月二日　雁が昨日から飛んでいる。編隊飛行のように美しく並んでどこへ行くのか、広い草原の上をのんびりとんで行く、彼等がうらやましいなあ。

丁度第一信をだしてから一ヶ月目、今夕内地よりの便りがきた。母上よりの手紙一通と、新聞三通、『サンデー毎日』三冊、『サンデー毎日』の週(増)刊二冊、『太洋』一冊が来た。

九月三日　達ちゃんからは毎日新聞がくる。内地の新聞にはノモンハンのことは全く出ていないのでがっかりした。

九月四日　土屋軍曹殿がきて、英独開戦を知らせてくれた。いよいよ大戦だというので、その話でもち切りだ。……夕食後は欧州問題で話が一杯だった。

九月五日　英独開戦となり、ソ連も西欧に気を配らねばならなくなるから、日本としても有利である。独ソ不可侵条約成立とともに、阿部大将が首相になった由、いろいろ〔小隊長より」お話があり、終って朝食となった。
九月一五日　八時集合して小隊長のお話あり、いよいよ総攻撃だという感強い。少し休んだのち野球をした。紙をまるめて靴下で包んだのを球としてやる、……午後、新聞がきた。欧州の様子もおだやかでないらしい。
九月一六日　山縣部隊の軍曹に逢う。山本、吉田両少尉の戦死が判明した。突然砲手定位につけの号令で、帯剣して定位についた。話によると停戦協定が成立したそうだ。亡き人々には申訳ないが、これでやっと安心だ。(229～231, 233)

ヨーロッパ情勢を気にする兵士たち

同じく砲兵一等兵の成澤利八郎の日記もヨーロッパの情勢が、ノモンハンの兵士の運命に直接のかかわりをもっていることを、ちゃんと意識して書かれている点で注目される。

七月六日　敵戦車は二輛で……二分隊は直ちに一発発射したが、その弾丸が届かない位早く、第二分隊砲の防楯を破り眼鏡がやられ、二番砲手(伊藤)が倒れ、三番四番と一度に倒れた。中隊長が丁度観測所から刀を抜き戦車が来たと、叫び乍ら二分隊に来て居り、その惨状を見て居られて動ける者は動いてみろ、と云い分隊長と一番〔砲手〕の二人だけが動き、後は動かない。……

余りの短時間に一ヶ分隊全滅は初めてであり、幾人もの戦友を失って戦争の恐ろしさを身に沁みて知った。

個人壕の蛸壺を掘って休む。毎日の疲れと不眠で一寸眠った。母の夢、八幡神社の夢を見た。神社の御守は腰にあった。

決死隊の志願者は書き出す様命令ありしも、俺は応じなかった。戦車が来た時戦車地雷を敵のキャタピラに持ち込む役である。

七月三十一日　第一線部隊は敵との距離は次第に近くなって居る。話が出来る位近く敵の機関銃及び迫撃砲隊は友軍の歩兵を悩まして居り……。

九月五日　中隊長の訓話「ニュースニ依ルト、昨日、ドイツガポーランドヲ包囲シ、敵機百余機ヲ完全ニ撃破セリト、又、イギリスハドイツニ宣戦布告シ、既ニドイツノ船舶ヲ六万トン捕獲セリ」ト。

九月十六日　午前八時、突然、停戦の命令を軍より受く。

九月十七日　昨日の停戦命令以来、皆元気よく軍命令により行動する。時局多難の時、日ソの協定成立せば欧州の戦闘に変化ありや。

九月二十四日　第一の散兵陣地は既に敵〔ソ連軍〕の手で掃除が終り、死体を所々に三人位ずつ埋め、細竹を割ってボール紙にその数を記してさしてある。……この状態では前線には猫一匹でも生きては居られないと思った。

戦場掃除の此の状況は、家へ帰っても他言してはならぬと上司に云はれた。(139~140, 148~149, 158~159, 161, 163~164)

これらはいずれも一兵卒の日記であるが、工兵軍曹西銘太郎のものは、新聞を読んだりして分析的だ。

九月十二日　晴れる、晴れないでビール六本かけた。……兵器部に行って新聞を読む。欧州で第二次世界大戦が始まったとの大見出しで、独波戦〔ドイツ・ポーランド戦〕の状況や、英仏が対独宣戦布告したことなどがビッグニュースとなって掲載されていた。日本は中立、伊太利も動かず、今のところ独は単独で英・仏・波を相手にしている恪好《(ママ)》だ。今後どう展開していくか予想もつかないと書いてあった。(303)

兵士たちはもちろん、将校たちも、絶えずヨーロッパの情勢を見ながら、この戦争が早く終わるのを期待していたのだ。かれらは、ヨーロッパでのドイツ軍の動きによって、ホロンボイルの状況が変わることをよく知り、期待していたのであって、そのニュースの中から絶えずこのあてどのない戦闘が終結することを願っていたことがわかる。

戦場日記の中で慰めになるのは、敵であってもソ連兵に対する思いやりがあふれ出ていることである。

前線における敵味方

七月十四日　朝九時、前方四粁《キロ》のホルステン河畔の水給班に、水汲みに行く。途中敵兵一名(小銃、拳銃、銃剣を持つ)が突如現れ逃避せんとす。自動車にて追い捕虜にす。……通訳官の聞きし所によれば、召集(演習)にて戦場に来た、三十五才、子供二名との事。

七月二十四日　十時頃爆撃機、七百米《メートル》の高度を以て飛来し、五機が火の玉となって墜落す。……パラシュートにて露人降下す。段列の者、貨車にてパラシュートを拾いに行く。白い傘は段々大きくなる、一名を捕虜にし、一名は抵抗せし為射殺す。

……ソ聯操縦士の、機体と共に半焼けになっておるのを引き上げ、穴を掘り墓を作る。「ソ聯飛人之墓。昭和十四年七月二十四日、山岡部隊建之」と赤星の翼に墨痕《ぼっこん》鮮やかに記す。敵小銃弾が頭上を通過する中で、黄白紫の草花を飛行機の骨のパイプを花立てとして献ぐ。げに彼もソ聯の勇敢なる操縦士なるぞ(砲兵一等兵　井上重也 114, 116)。

ここには敵の死者の家族のことを思ったり、礼をもって葬ったりする心づかいがあり、後に行われた中国における戦場とはかなりちがった、あるのどかさが感じられる。ノモンハンの戦場は一般市民のいない、軍隊だけの、限定された純戦場という特殊空間だった。

前線の兵士には、実際には日記に書いた以上の思いがあったにちがいない。日記は上官の検閲をおそれて、控えめに書かれるのは当然だからである。

私がとりわけ心を打たれたのは、参戦者、遺族で作る「ノモンハン会」の機関紙に現れた次のような話である。生き延びて、いまおそらく九〇歳を超えるその人は、戦場で「マシンガンを持ったソ連兵に出くわしたが、撃たずに通り過ぎてくれた思い出」があり、その恩は忘れられない。そこで、北方領土に住む「ロシアの子供、コンスタンチン君が火傷をして札幌の病院にやって来た時、見舞金を贈った」とのことである(ノモンハン会発行「ノモンハン　会員便り第二号」平成一九年三月一日発行より)。

私は、正史には載らないこのような話を、ぜひロシアの人たちに伝えたいのである。一九八九年、モスクワの円卓会議に出席した私は同日夜のハルハ河戦勝五〇周年記念赤軍コンサートに、ただ一人だけの日本人として招かれた。その際、私は生き残ったソ連の老兵たちに握手を求めたのに拒まれた苦い経験があるからである。かれらは戦友の死の無念さを忘れず、まだ日本を許していないのだと私は受けとった。

モンゴル人民共和国の兵士たち

モンゴルの兵士たちは、決して日記やメモをつけなかったであろう。もしかして、記された情報が敵に渡るかもしれないことを極度に警戒していたソ連軍が、そんなことを許すはずはなかったのである。

これまでに出版されて私たちの手に入ったのは、ソ連軍の高官が著書として出版したもの、またモンゴル兵士の回想を集めた記録集などがほとんどである。その内容は総じてソ連軍とモンゴル軍の同志的絆がいかに強かったかを語る、官製のインタビューにもとづいている。それに対して、一兵卒が、それぞれの思いを戦場で書き残すという文学的雰囲気をただよわせているのが日本軍兵士の手記の特徴である。

ソ連側の指揮官やジャーナリストが著わしたものはよく知られている。とりわけジューコフの著書は戦史の資料としても利用されているくらいであるが、それは戦闘の全体図を示すにとどまることが多く、必ずしも細部を描き出すものではない。ところが、フェデュニンスキー大佐の回想録に登場する次のような一節は極めて興味深いものだ。

〔モンゴル軍〕第六騎兵師団の将兵たちは大きな困難に出会った。兵団は日本空軍の攻撃を受けて、相当な損害をこうむった。その理由はこうだ。残念なことに当時のモンゴル人はいちじるしく宗教の偏見にとらわれていた。仏教の教えによって、大地は神聖なものと見なされていたから、それを掘ってはならなかった。そしてモンゴル兵たちはこの教えを守ったのである。戦闘の間、兵士たちは壕を掘ることを完全に拒んだ。指揮官の多くは、我がソ連の軍学校や時には陸軍大学で学んだおかげで、そのような偏見から自由であったにもかかわらず、しっかりと命令しなかった。ソ連軍の軍事顧問が、どうして壕を掘るのが必要かを説明したので、やっと掘るようになった(ロシア語版154、モンゴル語版158)。

フェデュニンスキーのこの回想は本当におもしろい。かれは大地を掘って傷つけることをおそれるモンゴル人に驚きあきれると同時に、いくぶんその信仰心に共感したのかもしれない。しかしかれは、土を掘るのを禁じるのは、それが神聖であるからとだけ説明しているけれども、私の知るところでは、土の中の生き物、たとえばミミズを切ることなどによって殺生戒を犯すことをモンゴル人はおそれるのである。いずれにせよ、私の経験では、ロシア人はこのたぐいの迷信、俗信、宗教心を理解する点では、ほかのどの民族よりもずっと頼りになる人たちだ。

この記述は、軍事以外の、たとえば文化変容の民俗誌的研究にとっても興味深い。

戦いたくなかったモンゴル軍

モンゴルがソ連のくびきから解かれて自由になった後の最初の大統領オチルバトさんが夫妻で日本を訪れた際、私は歓迎会で杯を合わせながら、ノモンハンの話題を持ち出した。夫人は身を乗り出しこう話してくれた。私の父はハルハ河に参戦しました。けれどモンゴル人は、日本人と戦うのを好まなかったから、後方で輸送を担当したのです。車が砂に埋まって、うまく作業ができなかったとよく話していました。夫人は、美しいモンゴル語で、たいへん魅力的な話し方をされる人だった。私はこれは、さすが大統領夫人、外交的に話されたんだと思って聞いていたのだが、最近モンゴルで現れる出版物を見ていて、そのお話は真実に近かったのだと思うようになった。

モンゴル軍は戦いたくなかったという夫人のことばを裏書きするように、現代史家のＳ・バートル氏は怒りを込めて次のように述べている。

二〇世紀のモンゴル国の歴史上、最大のハルハ河の戦闘でさえも、モンゴル人民革命軍は二三七人が殺され、三二人が行方不明となっただけだった。ところがこの戦争に先立つ一年半の間に、〔国家反逆罪で〕有罪とされた者はその一一七倍に、処刑された者は八八倍の多数にのぼった。特別査問委員会の五〇回にのぼる会議だけをとって見ても、一万九八九五人を処刑したということは、毎日三九八人を処刑したことになる（バートル 57）。

つまり、四か月にわたったノモンハンの戦場で失った全将兵をはるかに上回る数のモンゴル人が、平和な日に殺されていたという現実があったのである。

ソ連兵はカルムィクとブリヤートから

二〇〇七年、私はカルムィク共和国の大学で行われたシンポジウムに参加した際に、私の宿泊その他、滞在中の身のまわりの世話をしてくれた初老の女性の家に招かれた。その一家の自慢は、毎年、大統領が署名したクリスマスカードがとどけられることであった。その年はプーチンが署名していたのをまるで家宝のようにして私に見せた。彼女の父親は、ノモンハン戦争に従軍した後、対ドイツ戦に参加した。生還して退役後、数年前まで存命だったという。

カルムィクはヴォルガの下流のヨーロッパ側にある。こんな遠くからモンゴルまで出かけたのですかという私に、そうです、同じモンゴル族だから顔も似ているし、地形にもなじみやすいというのでね、カルムィク人やブリヤート人があの戦争に出ていったのですという説明だった。この説明を私はたいへん興味深く聞いた。

というのは、やはり数年前にブリヤートのいくつかの小学校を訪れた際、ある小学校で、その学校の卒業者で勲功のあった人の賞状や勲章を展示した一室があった。そこに、ハルヒーン・ゴル(ノモンハン)戦争参加者の賞状が展示されているのを見たことがある。

こうした兵士の出身民族にまで配慮したのは、単にモンゴル軍兵士との関係を考えただけではなく、満洲国のホロンボイル興安軍のことまで考慮に入れていたのではないかと思われる。

こうしたことも研究の課題として残っている。

第九章　チョイバルサンの夢——果たせぬ独立

一九二一(大正一〇)年の「革命」によってモンゴルが独立して以来、歴代の指導者で、その自然な生涯をまっとうした者はチョイバルサンを除いて誰もいない。すべてはソ連に呼び出されて、療養のためという理由で病院に入れられて帰らぬ人となったか、国家反逆罪の判決を受けて銃殺されるか、あるいはデミド将軍のように、召喚されてモスクワに向かう途中、毒殺と疑われる謎の死を遂げるかといったありさまである。

一人だけ生き残ったチョイバルサン

しかし、チョイバルサンだけは、首相になってもゲンデンやアマルのように、道半ばにして生涯を絶たれることなく、一生をまっとうした。もっとも、疑い深い人の眼には、かれが一九五二(昭和二七)年の一月に五七歳の生涯を閉じたのが、モンゴルではなく、モスクワのクレムリンの病院だったことは、またしても疑念を呼ぶ材料になるかもしれない。しかしかなり進行していたらしい腎臓がんのために、一月二五日に手術を受けてその翌日に亡くなったというのは、かねてからの病のやむを得ない帰結だったのであろう。クレムリン附属の病院は、最も高度な医学技術を備えたはずであるから、ソ連は心をつくしてチョイバルサンの治療にあたったと考えるのが率直で偏見のない見方だと思う。

遺体はモスクワの労働組合宮殿に運ばれて告別式が行われたが、スターリンはそこに現れなかったということである(バトオチル 190)。

とにかくチョイバルサンは、追放されて後に処刑されることになるアマルのあとを継ぎ、常にスターリンに忠実に従った。何よりも大切なことは、生涯に二度にもわたってソ連の求めに応じて日本との戦争に参加し、勝利したことだ。一回目は三九年のノモンハン戦争であり、二回目は四五年、ソ連が日本に宣戦を布告した八月九日の翌一〇日にモンゴルも宣戦を布告して参戦した。モンゴルが対日戦に参加したことは、少なくとも、モンゴルという国家が存在することを国際的に認知させる上で多大の効果があった。

一九二〇年に中国からの独立を求めて、外モンゴルがソ連に支援を求めて行ったメンバーを、モンゴル革命史の上では「最初の七人」として、特別に功労のあった先駆者として特筆される。その七人のうちチョイバルサンだけが生き残った。ノモンハン戦争のころにはまだ存命であったドクソムは、マンチューリ会議にモンゴル側代表の一人として参加したが、一九四一年に、ソ連に連れて行かれて「日本のスパイ」の判決を受けて処刑された。

このようにしてみると、チョイバルサンはソ連の言うがままに同志を捕らえ銃殺刑に処し、あるいは進んで仲間を陥れることによって自らは一人生き残った、血塗られた、卑劣な人物であるという結論にならざるを得ない。それは自然な論理に従った解釈であると思う。

しかしチョイバルサンには、外からはうかがい知ることのできない深慮遠謀があったと考えてみよう。かれは四五年の日本の敗退後は、モンゴル諸族の悲願の待ちに待った実現として、内外モンゴルの合体という夢があったかもしれない。少なくともそのような夢を実現しようと思うならばこの機を逃したら、二度とあり得ないことである。そのために多くの同志や仲間を目をつぶって死に追いやり、そうした代償を払って内モンゴルとの合体に夢をかけていたのかもしれない。ワルター・ハイシッヒは、モンゴルがソ連に同調して対日戦に踏みきったころの状況を次のように記している。

心を鬼にして

ソ連邦が日本に宣戦を布告してから一日おくれて一九四五年八月十日、モンゴル人民共和国は対日宣戦した。

八万の兵力を擁するモンゴル人民軍部隊はソ連軍に支援されてゴビを渡り、興安嶺を越えて張家口《ハーラガ》、ドローン・ノール、熱河省に突進した（ハイシッヒ 344）。

モンゴル軍の側についてともに内モンゴルと東部モンゴルに電撃戦を展開したソビエト戦車隊はモンゴル人民共和国の国境線までしか後退しなかったと言われている。かれらは当分の間、北〔外〕モンゴル人がことによると抱くかもしれない合併の願いを、めばえのうちにつみとってしまおうと、そこに配置されたのである（350～351。傍点は田中）。

このようにして、もしかして密かに抱かれていたかもしれないチョイバルサンの夢――内外モンゴル合体は打ち砕かれたのである。

ソ連の戦車隊は、ハイシッヒが述べているように外モンゴルと内モンゴルの国境線にとどまって、言い換えれば内外モンゴルの間に割って入って、外モンゴルが内モンゴルの「解放」へと突き進むことがないように、その行動を阻止したのである。この措置は、「モンゴル人民共和国の現状(status quo)は維持せらるべし」、すなわち、国境線の変更は許されないというヤルタ協定のしばりを、ソ連がモンゴルに遵守させたものだと説明されている。

日本の敗戦後、内モンゴル独立のリーダー徳王は中国による逮捕を恐れ、国境線を越え、独立モンゴルを頼って、ウランバートルに逃亡した。しかし徳王は捕らえられて、中国に引き渡された(『徳王自伝』)。こうした措置をチョイバルサンは決して喜々としてやったのではなく、むしろ「心を鬼にして」初めてなし得たことだろう。

ソ連としてもまた、大国中国との関係は重要で、極めてデリケートであったから、モンゴルとの関係よりはるかに優先すべき利害があったのである。今日、私の知る多くのモンゴル人は、ソ連が中国との関係において、自らの重要な利害があるときには、いつでもモンゴルを裏切ってきたという感想を抱いている。

チョイバルサンが、かつての盟友、同志を次々に葬っていくさまを見て、しばしば、かれは「モンゴルのスターリン」と形容される。しかしこのたとえはある一点で基本的に間違っている。かれはスターリンのように自らの思いのままにやったのではなくて、とりあえず、外モンゴル＝モンゴル人民共和国の独立を是が非でも守っていかなければならなかった。そのためには、心ならずもスターリンの要求をいれて、やむを得ず行わねばならないという、選択の余地のない選択だったのである。

幾度かの試みが失敗した後(スターリンは日本との抱き合わせでモンゴルの国連への加盟案を提案した。この案は否決されて、日本もそのあおりを食った。スターリン死後、一九五六年に日本は単独で加盟をはたした)、一九六一年にモンゴル人民共和国は念願の国連に加盟をはたした。そのおかげでモンゴル人が初めてオリンピックに中国やロシアのではなく、自らの国旗を掲げて参加できるようになったのである。こうした成果のすべての淵源は、とにかく苦難に耐えてソ連との共同の戦いを戦ったチョイバルサン時代に求められるであろう。結果から見れば、満洲国からの誘惑に応じそうな、あらゆる芽をつみとったチョイバルサンの選択が正しかったことを認めないわけにはいかないのである。

チョイバルサンの真意は

私自身は、チョイバルサンによって引き起こされたという数々の惨劇を知っているにもかかわらず、チョイバルサンに悪い印象をもっていない。むしろ、心のどこかに、かれを弁護したい気持ちがあるのはなぜだろうか。それはモンゴル人たちから、かれについての心温まるような数々の評判を聞いているからである。

とりわけ心を打つのは、かれが何人もの孤児を引き取って育てたという話である。私の知る、尊敬すべき学者のうち二人までが、じつは私はチョイバルサンに育てられたんだよと打ち明けてくれたことがある。その中の一人、民族学者バダムハタンについて、私は述べておきたい多くのことがあるけれども、それは私の『モンゴル――民族と自由』(同時代ライブラリー)にゆずろう。

チョイバルサンの姓はなぜ母親の名か

チョイバルサンの、西洋式に言う姓は、ホルローギーン、つまり「ホルローの子の」という意味である。ところで、前にも述べたように、それは父の名であるべきなのだが、ホルローは女の名である。つまり、この名は父がいないことを直接に示している。この事情については、党の中央文書館に、チョイバルサン自身の書いた略歴が保存されていて、そこでは次のように述べられている。

私はいま四八歳で、ドルノトなる、モンゴルの東部で生まれた。私は父を知らないし会ったこともない。私は女の市民ホルローから、ロシア式に言えば法の外で生まれたのである。母は私の兄弟二人と暮らし、結婚した夫は居らず、私を入れて三人の子供をかかえていたのを覚えている。これら三人の子供の一人が私の兄、もう一人が姉である。現在存命していて、ドルノト州オチルバヤンムンフというマンジュと国境を接するところで、家畜を飼って暮らしている(一九四二年一一月二六日しるす。モンゴル人民革命党中央委員会文書館《アルヒーフ》。バトオチル『チョイバルサン』194)。

姓をもたないモンゴル人は、近代になってから、パスポートなどで、国際基準に従って公式に姓を示す必要が生じると、父親の名を前につけて「……の子」誰々と名乗るようになった。たとえば朝青龍の名は、ドルゴルスレンギーン・ダグワドルジである。

父親がいない場合は母親の名がそこに来る。だから、ホルローギーン・チョイバルサン、すなわちホルローの(子)チョイバルサンである。

ソ連のモンゴル研究家ローシチンによれば、「土地の人の知るところによれば」父はマンジュのダウリヤ出身の人で、ホルローと一時暮らしていたジャムツであった。二人が離別した際に、ホルローはチョイバルサンを他の人に養子に出した。その後ジャムツはもどって来て、自分の子にドガルと名をつけ、ラマ僧はそれに同意した。九歳でウルガ(今のウランバートル)に出て、僧となったとき、名を変えて、ジャムツィーン・ドガルではなく、ホルローギーン・チョイバルサンとなった(ローシチン『モンゴル国元帥チョイバルサン』37)。

チョイバルサンは、父の名を名乗ることを拒んで、わざわざ母の名を選んだのである。これはモンゴル人にとって特別な習慣ではない。一九八九年に私がウランバートルを訪れた際に、ずっと私をスパイする役を務めた青年がいた。スパイとしてはあまり気が利かないので、その後、私が一橋大学に招いて大学院で学ばせ、今は社会学博士となったアリョーンサイハンも、姓に母の名、マンダハを名乗っている。マンダハさんはよく気のつく感じのいい女医さんで、私は何回か会っている。モンゴル人が母親に寄せる思慕の念は並たいていのものではなく、母親の前にいるアリョーンサイハンはふだんのかれとは全く様子がちがう。

このように、父親を知らない子供は、モンゴルでは、特別に変わっているわけではない。だから、コミンテルンによってモンゴルから除かれ、モスクワで処刑されたゲンデン首相も父親を知らず、したがって母、ペルジドの名を姓にして、ペルジディーン・ゲンデンと名乗ったのである。

父称の代わりに

しかしロシアの常識では、首相になった者が、そのような出生をもっているとは考えられないことであった。それにロシア語では、人の名には姓のみならず、必ず「父称」というものが要求される。たとえば父がセルゲイであれば、セルゲーイェヴィッチという父称を用いる。ロシア領に入ったモンゴル族、たとえばブリヤート人は必ずこの父称を製造して用いなければならなかった。

ロシア語では、このように父称は人の名を呼ぶのに欠かせないのに、それがないというのは、不法な婚姻(Незаконный《ネザコンヌイ》 брак)と受けとられたのである。したがって、チョイバルサンは、ロシア人に読まれることをも予想した、自分の略歴の中で、「ロシア式に言えば法の外で生まれた(хууль бусаар төрсөн)と記したのである。

一国の首相ゲンデンが、ソ連の裁判、判決文の中で、一貫して「婚外子」「私生児」などの名で呼ばれているのは、「父称」として、あるいは「父称」の代わりに用いられたものであろう。これは「創氏」どころか「創氏創父称」というべき文化の置きかえであった。

チョイバルサンの家族

チョイバルサンは二度結婚したことがわかっている。最初の妻はボルトルゴイと言った。バトオチルによると、すらりとして美青年だったチョイバルサンはおしゃれな娘たちの目を引きつけてやまなかった。その中の一人がボルトルゴイだった。チョイバルサンは後に女優のデベーと知り合ったけれども、ボルトルゴイと別れるつもりがなかった。

一九三五年ごろ、ボルトルゴイはチョイバルサンに、「あなたは党と政府の責任ある地位についたのだから、私のように信心深い女と一緒では具合が悪いし、たがいに苦しみをかかえることになる。あなたにちゃんとした女を紹介するわ」と言って、かれをグンデグマーと一緒にして去ったというのである(バトオチル 31)。

グンデグマーは終生の妻となるが、たしかに一方で公式には、ラマ僧を次々に弾圧しているチョイバルサンにとっては信心深い妻は大いに矛盾だし、ボルトルゴイ自らが耐えられなかったはずである。その後もチョイバルサンはボルトルゴイに何かにつけ心遣いをしていたが、彼女はそのうちに、仏教に深く帰依したチベット人のドラムダハンと知り合って夫婦となった。一九三六～三八年に、仏教徒としてのチベット人への大弾圧があって、かれらが根こそぎ逮捕されたときに、チョイバルサンはかつての妻の夫、ドラムダハンを見逃した。

チョイバルサンは、最初の妻ボルトルゴイと離別して、グンデグマーと一緒になってから第一副首相、さらには元帥にもなり、ひたすら栄達の道をのぼりつめた。かれの出世のために身を退いたボルトルゴイのために、チョイバルサンは彼女が重病になったとき、イルクーツクから特別に医者を呼び寄せて彼女の治療にあたらせ、また四〇年代に彼女が亡くなったとき、その墓に立派な碑を献じたという。

養父としてのチョイバルサン

チョイバルサンは二度の結婚のいずれにも子供を得なかったが、養子をもらって育てた。一人はネルグイという男の子で、数年後にはソボドという生後三か月の女児を引き受けた。ソボドの母親は夫のいない女性で育児に困っていたからであり、その児をもらってきたのは妻、グンデグマーの希望だったという(バトオチル33)。

チョイバルサンはこの二人以外にも、何人もの未婚の母から生まれた子供たちを引き取って育てた。といっても、もちろんかれ自身が手塩にかけて育てたのではなく、育児係をあてがったのである。ネルグイは古参のパルチザンだったツァガーンという老人が面倒を見ていたという。

ネルグイという名にも私は特別の興味をもつ。それは「名なし」という意味で、名づけをする父親がいなかったか、それとも「この子には名がないよ」と言って、悪魔を近づけないための工夫であった(『名前と人間』189)。危険な敵に名を知られないように配慮するという習慣は古代から、よく知られた人類共通の心性である。

一九九〇年代、ウランバートル滞在中のある日選挙があった。投票所に向かう人たちの中に、まわりの人たちよりも、一きわ背の高い男がいて、私の友人は、ほらあれがチョイバルサンの息子のネルグイだよと指された方向を見た。髪でおおわれていないので頭の形がはっきり見えた。私は、なるほど頭がチョイバルサンとそっくりだねと言い、その友人も同意したが、バトオチルによればチョイバルサンの実の子ではなかったのだ。

ところで私には、チョイバルサンもたぶんその粛清にかかわったであろう、ゲンデン首相の一人娘ツェレンドラムが語っている次のようなシーンは心に残るのである。

父を失った彼女は、医師として身を立てるようにとの母親の願いもあって、モンゴル国立大学に学び、一九四八年に卒業した。あるときチョイバルサンが視察に訪れたとき、見つかって大学をやめさせられるかもしれないと、「心臓が破れるかと思うほど心配していたところ、チョイバルサンは私を席から立たせて、学んだことを話すようにと言った。チョイバルサンは私がゲンデンの娘だと知って、「君はここで勉強していたのかい」と言ったが、退学はさせられなかった」と語っている(バーサンドルジ88)。

当時、反革命、国家反逆罪で粛清された者の家族は、あらゆる公的な場所から追放されるのがふつうだったのである。

このような些事をこまごまと書いたのは、もちろん、チョイバルサンという人物の公的でない生活を知るためであるが、他方では、モンゴルという社会が、子供をどのように育てるかを見るためである。今日、ウランバートルはすでに近代的な国際都市であって、そこでの家族のありようは日本とほとんど変わらなくなっているけれども、夫婦のあり方はより自由であるから、それだけに子供たちを育てるに際しての共同性というものは、日本よりもはるかに濃く残されているのである。

スターリン生誕七〇歳の招きに応じず

晩年のチョイバルサンは、モンゴル人民共和国が、ソ連とは異なる新しい体制へと進む可能性を考えていたふしがあると思われる。とりわけ、新しく誕生した中華人民共和国と、ユーゴスラヴィア連邦のゆくえをかれは注視していた。

中国との関係では、内モンゴルとの合体のことが念頭にあったからである。少なくとも、チョイバルサンたちが一九二〇年に作ったモンゴル人民党の綱領では、もし、中国が多民族国家として連邦制をとるなら、外モンゴルもそれに加わる可能性が視野におかれている。綱領のこの条項は、後の資料集では削除されているという重大な事実に気がつき、一九七一年に私はそのことを指摘しておいた(チョイバルサン他 50)。

またユーゴスラヴィアへの関心は、とりわけ興味を引かれる点である。一九四八年に、スターリンの意のままにならず、コミンフォルムから追放されたこの国の指導者チトーの態度を共感をもって注意し続けていたからである。

一九四九年一二月末、モスクワで盛大にスターリン七〇歳の誕生日が祝われ、ソ連圏すべての首脳が招かれた際、その出席を断ったのは、チトーとチョイバルサンだけだった(バーサンドルジ 308)。

モスクワに行かなかったかわりに、チョイバルサンはその年の一二月二一日、ウランバートルで盛大にスターリンの誕生祝賀会を催し、そこで祝辞を述べた。

第一〇章　誰がこの戦争を望んだか

一九八九年、ハルハ河円卓会議

ノモンハン戦争は、越境してきたモンゴル軍騎兵隊と、満洲国興安騎兵隊との小規模な衝突がきっかけだった。やがてその背後にひかえていた関東軍が出動し、予想もしない強力なソ連軍の反撃を受けたために、近代兵器を動員した大規模な戦闘へと発展したものだというのが、今から四〇年前に日本で抱かれていた一般的なイメージだった。

それに対し、ソ連とモンゴル人民共和国では、日本軍のたくらみははるかに深いものであって、まずモンゴルを占領し、それを足がかりに、シベリア、中央アジアのソビエト領にまで進もうという大規模な侵略計画の第一歩だったと説明されてきた。

一九八九年、ソ連が初めて対戦国の日本からも研究者を招いて、ソ・モ・日の代表が参加したハルハ河円卓会議を開いた。私は、研究室にやって来たソ連大使館軍事アタッシェ、プロコペンコ大佐から招待状と航空券を受け取ったとき、私のほかに誰か専門家が行くだろうから、私は単に傍聴者であればいいという気持ちで出かけた。

ところがモスクワに着いてみると、日本から出席したのは私だけだと知った。そして、明日は、日本代表として何か発表してほしい。通訳はいないのでロシア語で論文を準備して読んでほしいと注文を受けた。

それはできませんと言えない立場であることが明らかになったので、私はわずかな手持ちの資料にもとづいて、徹夜で原稿を書いた。そこでは、関東軍の行動計画は、ソ連で考えられているほどには大規模で計画的ではなかった。日本軍は目標を北ではなく南に向けていたことは、すでにリヒャルト・ゾルゲがコミンテルンに通報していたので、皆さんご存じのとおりです。

図8 ハルハ河円卓会議で報告する筆者(1989. 8. 18)

しかし、辻政信という功名心と名誉欲にとりつかれた参謀がいて、かれは持ち前のアヴァンチュリズムを発揮して、この戦闘の発端から最後まで動かしてきたのだと説明した。

このような説明が、当時のソ連の歴史学の習俗にはまったくなじまないことを知りながら、あえてそうしたのは、ソ連・モンゴルの人たちに、普通の日本人がこの戦争に抱いている素朴な考え方を知ってもらい、かれらの研究をもう少し多面的にしてほしいと思ったからだ。はたして、私の発表は、ソ連の研究者からは、これ以上は考えられないほどの不評と反論をもって迎えられた。それは予想しなかったわけではないが、予想をはるかに超えたのである。そ

れを要約すると、

——日本は天皇を頂点とする、厳重に組織された軍事国家であり、辻のような一介の少佐が、関東軍全体を動かして、作戦のイニシアチーブを握るなんてことは考えられない。そんな辻個人のことより前に、すでに一九二七年に、時の田中義一首相が大規模な侵略計画を天皇に提案していたではないか、ハルハ河はそれを実現するための第一歩だったのだと代わる代わる私に反論したのである。

私は途方に暮れ、内心、こんなことだったら、この円卓会議に出るべきでなかったのだと思うくらいだった。円卓会議が終わってから、二時間にわたるテレビ番組への出演があり、そこでもう一度、報告と討論の骨子を紹介した。さいわいなことに、そこで司会をしたチストフ氏は特派員として日本に長く滞在した経験があっただけでなく、辻に何度か会ってインタビューしたことがあったらしく、かれは「そうです、田中さんの言うとおり、辻さんにはそばにいるだけでどこか人々を圧倒して説得してしまう独特の力がありました」と、私の発言に多少肩を持ち、助け船を出してくれたのを心強く思ったのである。


「満ソ国境紛争処理要綱」

ここでは、私がモスクワで辻について語ったことに、さらにいくつかをつけ加えて、辻がいかにノモンハン戦争を牽引して、さらに終わらせたくなかったかを述べておこう。

ノモンハンの衝突が発生したのは、一九三九年五月一一日である。じつはこの衝突にさきだつ四月二五日に、その後の越境攻撃を強く鼓舞奨励するような通達(満ソ国境紛争処理要綱)が出されていた。それは関東軍作戦課の参謀である辻政信が作製し、関東軍司令官植田謙吉大将によって決裁を受けた。その第四項は大いに注目すべき内容を含んでいる。

国境線明確ナラサル地域ニ於テハ　防衛司令官ニ於テ自主的ニ国境線ヲ認定シテ之ヲ第一線部隊ニ明示シ　無用ノ紛争惹起ヲ防止スルト共ニ第一線ノ任務達成ヲ容易ナラシム

この命令は、国境を尊重するのではなく、その研究すらも無用であって、それぞれの持ち場で思うとおりにやれというものである。さらに、国境線が明瞭な地点ではどうか。

彼ノ越境ヲ認メタル時ハ一時的ニ「ソ」領ニ進入シ又ハ「ソ」兵ヲ満領内ニ誘致滞留セシムルコトヲ得　此ノ際我カ死傷者等ヲ「ソ」領内ニ遺留セサルコトニ関シ万全ヲ期スルト共ニ　勉メテ彼側ノ屍体、俘虜等ヲ獲得ス(防衛庁 424)

として、積極的に敵領内に入ることをも辞さない。

この要綱が、モンゴル軍と満洲国軍との国境衝突にあたって、満洲国軍の判断を押しのけて関東軍が積極的に出やすくしたことは明らかである。

指揮官や捕虜に自殺を命じる

国境を一三〇キロも侵入した、六月二七日のタムサグ・ボラクへの越境攻撃は、この「処理要綱」の絵に描いたような実現であった。

「関東軍の暴走」の危険は東京の中央、大本営にも十分にわかっていたから、特使を現地に派遣したのであるが、阻止できなかった次第は第一章で述べた(一四ページ)。

ノモンハン戦争が失敗に終わったことは、辻自身が最もよく知っていた。だからこそ、敗北に導いた責任者として、前線の指導者たちに罪をなすりつけ、自殺を強要したのである。それは、フイ高地を、一人の生存者を失うことなく、見事に撤退した井置中佐にとどまらなかった。

とりわけ、負傷したが一命をとりとめ、収容されて療養中であったチチハルの病院でピストルを渡されて自決した、歩兵七二連隊長酒井美喜雄大佐の思いはどんなだったろうか(村上兵衛「地獄からの使者辻政信」『中央公論』一九五六年五月号)。

それどころか、停戦後は、捕虜交換によってもどってきた将校たちが自刃させられた。これらの結末には、すべて辻政信が関与したことが明らかになっている。

停戦協定をつぶし、なおも戦闘を続行しようとした辻政信

辻にかかわる以上のようなことがらはすでに何人もの著者がふれていることであるが、ノモンハンの停戦後も、国境確定会議を成

立させないために辻が暗躍したことはほとんど知られていない。

ノモンハン戦争は、九月一六日、モスクワで日ソ間に話し合いがついて、停戦協定が結ばれた。この協定の中には、日、満、ソ、モが、それぞれの代表からなる混成委員会を作って、国境確定作業に入ることを定めていた。それにもとづいて、一二月七日から二五日までソ連領のチタで、翌四〇年一月七日から三〇日はハルビンで会談が行われた。チタでの会談の会場は、チタにある満洲国の領事館で行われたので、ハルビンでの会談はソ連が自分の領事館を提供したいと申し出たが、満洲国側はそれを断って、ホテル・ニューハルビンを準備した。

満洲国がチタに領事館を、そのほかにもブラゴヴェシチェンスクに領事館を持っていたこと、そしてソ連はハルビンとマンチューリに領事館を置いていたことは、たいへん興味深い。つまり、満洲国とソ連は相互に公式の外交関係をもっていたのである。

ノモンハンの戦闘については、実に多くの著書が書かれているけれども、このノモンハン後に行われた最も重要な国境確定会議について述べた著作は、ずっと後になって現れた、北川四郎氏のものを除いてはほとんど知られていない。ところが、辻が一九五〇年に出版した『ノモンハン』の末尾は、「国境外交の内幕」と題する大きな一章にあてられていて、この著作の三分の一を占めている。ただし、執筆者は辻自身ではなく、関張風という名になっている。それがどのような人物であるかを辻は説明していないけれども、この会談を見る視線は、疑いなく辻の分身である。

ベストセラーになった辻の『ノモンハン』は、この戦争に一般読者の注目を集めるうえで大いに貢献し、長い間、「ノモンハン」を知るための唯一の一般向けの著作であったが、停戦後の処理を描いたこの末尾の章が話題になったとは聞かない。またそのことに日本の読書界でいかに関心が低いかということは、一九六七年、つまりノモンハン三〇周年をひかえて原書房が、辻のこの『ノモンハン』を復刊した『ノモンハン』から、このたいへん興味ある重要な部分が省いてあることからもわかる。そのことは、この復刊の価値を大いに下げている。

亀山代表による戦後の述懐

さて、この国境確定会議は、日本と満洲国からは久保田貫一郎ハルビン総領事と外交部政務司長亀山一二が、ソ連・モンゴルからは、ボグダーノフ少将とジャムサラン第二副首相が参加した。会議の状況は、時に細部にわたって興味深く描かれ、現場にいた人にして初めて書き得る臨場感あふれるものになっている。

このハルビン会談では、国境線について基本合意が成立し、一月三〇日には双方が署名さえすればいいところまで段取りができていた。

ところがボグダーノフは合意をくつがえして当初の立場にもどって、一月三〇日に帰国すると告げて去り、これで会談は中断されてしまったのである(北川 147、バトバヤル 74)。

当時、満洲国の代表メンバーに補佐員として加わっていた北川は、モスクワの指令がとどき、現在の「占領」線が認められなかったからと、ボグダーノフが説明したという話を聞いて、「ロシア人はまったく信用ができぬ」と憤慨したと書いている(145)。

ところで北川は、戦後かなりたった一九七八年当時、まだ岐阜県関市に存命だった亀山代表に会って、三八年前の会談の決裂の原因を尋ねてみたところ、辻が白系ロシア人をやとい、ボグダーノフとジャムサランに、もし協定に調印したら殺すぞと脅したために、かれらは会談を中断して帰国してしまったというのである(北川147)。

信じられないことであるが、北川は、ここで「辻というのは、ひどい奴ですよ」という亀山のことばを引いている。

辻の『ノモンハン』の関張風執筆の末尾は、「戦場に消えた日満両国の貴い犠牲者を偲ぶとき、会議が決裂で終ったことが、せめて供養の一端にでもと自ら慰めたのであった」(342)となっているところを見ると、辻が全力をつくしてこの会談を妨害し、ぶちこわそうとしていたことは明らかである。

そして、ノモンハン戦を描いた部分の末尾に、「戦争は敗けたと感じたものが、敗けたのである」と記したのにあわせて、この部分では、「外交もまた、敗けたと思うものが、敗けるのである」と結んでいる。つまり、この会議の成功は辻にとって敗北を意味したのである。

私はかつてこのくだりを読んだことがあり、そのときはこんなこと、途方もないつくり話だと無視していたけれども、北川さんという人は誠実な人柄だから信じないわけにはいかない。ちなみに、ジャムサランは四一年九月に逮捕され、翌年七月二二日に国家反逆罪で処刑された。

モスクワの円卓会議に集まった、ソ連の歴史家、戦史研究者のすべてが、辻政信がノモンハンの戦場を始めから終わりまで、否、終わってからも動かしていたという私の説を一笑に付した。そしてノモンハンで日本軍が仕掛けた攻撃は、一九二七年に田中首相が天皇に奏上した戦争計画に従って、一貫して進めてきた実現のその一環であったことは明らかではないかといっせいに反論の声をあげた。

すべては田中メモランドゥムから

田中メモランドゥムについては、すでに第一章でふれたところであり、そしてそれが、日本語の原文が存在せず、「その存在しない日本語原文から中国語に翻訳された」侵略計画書であるという点について、もう少しくわしく述べておこう。

田中メモランドゥムは、一九二七(昭和二年)七月二五日、時の総理大臣田中義一が、天皇に宛てて奏上したとされる、「我が帝国の満蒙に対する積極的根本政策」と題し、本文約四万字からなる中国語の文書である。その日本語訳文には「田中義一の上奏文(秘)」という表題がつけられているので、日本では通常「田中上奏文」と略称される。

これが、コミンテルンの機関誌『コムニスティーチェスキー・インテルナツィオナール』に訳載されたロシア語テキストは、「一九二七年七月二五日、マンヂュリアにおける積極《ポジティブ》政策について、田中首相が日本天皇に呈示したメモランドゥム(覚え書き)」と題されているため、ソ連を通じて世界中にひろめられたこのテキストは、国際的に「田中メモランドゥム」と略称されている。

その中国語原文は最初、一九二九年一二月、南京で発行されている月刊誌『時事月報』第一巻第二期号に発表された後、翌三〇年六月、日本語に訳され、『支那人の視た日本の満蒙政策』(日華倶楽部)として刊行された。

さらに一九三一年九月には、上海で、China Critic 誌に英語訳が現れたという。一九三一年一二月一〇日の日付のある『コムニスティーチェスキー・インテルナツィオナール』誌 No. 33～34のロシア語訳文は、この英訳から翻訳された可能性が高い。

中・ソ・モンゴルの歴史家は、日本のマンジュ、モンゴルへの軍事侵略がすべて、この上奏文にもとづいて進められたとして、必ず引用されるのが「世界を征服せんと欲せば、必ず支那を征服せざるべからず。もし支那にして完全に我が国のために征服せられんか、他の小アジア、インド、南洋のごとき異服の民族は必ず我を敬畏して我に降服すべく、世界をして我が国の東洋たるべきを知らしめ、永久にあえて我が国を侵略することなからしむに至るべし」という一節である。

歴史的基本文献としての田中メモランドゥム

ソ連、中国で、日本のアジア侵略をテーマに語られる現代史では、必ずこの「上奏文＝メモランドゥム」を前提として話が進められるけれども、その内容からも、上奏文が具えるべき形式からも、偽文書だと疑われる点がいくつもあると指摘されてきた。

それにもかかわらず、一九七〇年代までのソ連の学界はこれを実在の文書として引用し、中国では今日でもその実在を信じて疑わない。

信じるべき理由は、この文書の内容が、歴史上実際に生じたことと一致しているからといい、さらに中国では、蔡知堪という台湾の貿易商人が、「昭和六年のある夜、宮中に忍び込んで写しとった」という証言にもとづいている。

ソ連の歴史家のほとんどは今日ではこの文書に言及するのをやめたが、中国の歴史学界では、上奏文の実在はいまなおゆるがぬ信念になっている（くわしくは秦郁彦『昭和史の謎を追う』（上）を参照）。

しかし誰一人として、この上奏文の文献学的研究を試みた歴史家はいない。

ロシア語訳上奏文

『コムニスティーチェスキー・インテルナツィオナール』誌は、日本では北海道大学に行けば必ず見られることはわかっていたが、東京近辺では、農林水産省の研究所が所蔵していることがこのたびわかった。一日つぶして出かけようと覚悟をきめて、閲覧できるかどうか電話すると、必要な部分をコピーして送っていただけるという返事で、私はいながらにして、そのロシア語訳文にあたることができた。そこから次のことがわかった。

農林水産政策研究所から送っていただいたこのコミンテルン誌のロシア語テキストを調べてみると、日本軍の侵略予定地には、中国語原文にもとづく「シナ、小アジア、インド、南洋」に続けて、ロシア語テキストでは、さらに「中央アジアとヨーロッパ」が加わっていることがわかった。これは上記コミンテルン誌ロシア語版が、日本の膨張の脅威が進んで、ソ連(中央アジア)とヨーロッパにまで及ぶことを、強く印象づけるためにつけ加えたものと推測される。

このことから、私は次のように考えた。「田中メモランドゥム」は、一つのテキストがあれば、それぞれの国で必要に応じて、日本の意図する侵略地域には、世界中のどこを加えてもいいということを、したがって、ロシア語が読まれる機会の多いソ連とヨーロッパ向けには、「中央アジアとヨーロッパ」が加えられたのである。

コミンテルンの深慮

以上のことから、ソ連、おそらくスターリンを中心とする指導部が、ノモンハン戦争、より一般化すれば、満洲国とモンゴル人民共和国の国境問題に対しては、想像以上に深いかまえでのぞんだということがわかる。

田中上奏文はかれら、コミンテルンが作ったのではないけれども、一九二九年に中国で現れたものを、一九三一年九月、満洲事変が始まると、ただちにこの文書を大々的にひろめた。

そして私が注目するのは、満洲国が出現するとともに、それにあわせて、ただちにノモンハンを通る線での国境線へと引き直したことである。その国境線の画定は、清朝時代の、バルガとハルハの境界線に根拠を置くものであった。ソ・モ側に対抗して日本側が集めた地図などの資料は「トランク数十個」に達したと、辻の著書には記されている(241)。

いずれにせよ、ソ連は、この満・モ国境問題に慎重このうえなく対しているのに対し、関東軍は各隊に「自主的」に国境線を認定させるようなありさまだった。ソ・モ側の国境線についての周到な準備に辻は簡単にはまりこんでしまったのである。

辻は、敵弾雨あられと降る中で抜刀し、直立して絶叫していても、かれにだけは弾があたらなかったというような伝説がひろめられるほど、特異な、豪胆さをそなえた人物だったらしい。辻は、ノモンハン戦を拡大し続け、停戦後は国境確定の交渉すらもぶち壊そうとした。また第二次大戦では、悲惨な南方作戦を企画し、敗戦後は戦犯としての追及を逃れるために、僧侶になりすまして東南アジア各地に潜伏した。

戦争と日本文化

辻政信は、英軍の追及を逃れてタイなどに身を潜め、一九四八年日本に帰国した後、五〇年に『ノモンハン』『潜行三十年』『ガダルカナル』などベストセラーを書き、五二年、故郷の石川県一区から衆議院議員として立候補して最高点の票を得て当選し、今度は政治家として生まれ変わった。五五年には、ソ連と中国から招かれた三八人の国会議員の一人として訪問団に加わっている。

辻は、自らを「逃避潜行した卑怯者」として、「その罪の万一をも償ふ道は、世界に魁けて作られた戦争放棄の憲法を護り抜くために……余生を捧げる」とその著書に書いた。

そして代議士になるや否や、「憲法を改めて祖国の防衛は国民の崇高な義務であることを明かに」すべきであると訴えるようになった。

辻は、並みの日本人から抜き出た印象深い発言や行動で人々の支持を得て、時代に巧みに適合していった。その才能は一種独特の魅力によって支えられていたであろう。

辻政信――この人は並でない功名心と自己陶酔的な冒険心を満足させるために、せいいっぱい軍隊を利用した。そうして戦争が終わって軍隊がなくなると、日本を利用し、日本を食いものにして生きてきたのである。

私たちが、占領軍としてではなく、日本人として裁かなければならないのは、このような人物である。このような人物は、過去の歴史の中で消えてしまったわけでは決してない。今もなお日本文化の本質的要素として、政界、経済界のみならず、学界の中にまで巣くっているのである。

あとがき

今から二〇年ほど前、私はノモンハン戦争の戦場を訪ねる旅行団の一行に加わって、初めてハルハ河を見はるかす左岸に立ち、次いで河を渡って右岸に出た。

一行の中に、広島県福山市から参加されたという二人がおられ、ある場所に来ると立ち止まり、ちょっと声をひそめてから、「おい、ここだったなあ、将校用のテントがあったのは」と、一人が言った。相手もまた同じように声をひそめて、「そうだ、あいつは足をひどくやられてね、せっかくここまでたどりつき、何とかして、中に入れてもらおうと頼んだのに、ここは兵隊の来るところじゃない、出て行けってどなられたなあ」と今度は私に説明するように言った。

私は驚いた。当時のくわしい軍用地図何枚かと首っ引きで歩いていたのだが、重要な戦闘地点ですらなかなか確認できないのに――〇〇高地などと言っても、砂まじりの土質だから、五〇年もたってしまえば、風に吹かれて低くなったりして、わからなくなってしまう――この二人は、そのような、これという目印もない場所をよく覚えていた。

すると、引率者の団長が聞きとがめて、「何だ、きさまらは英霊を何と思っているのか、失礼だぞ!」と叱りつけた。

この団長さんのほうが、もう八〇に近い二人よりも若いのに。あとで周りの人に聞いたところ、この団長さんは、当時連隊旗手をやっていたが、早々と負傷してしまって後方に送られたおかげで、激戦の場に出ることなく、本当の戦場を知らないのだという。

また、娘さんに助けられて神戸からやってきたという別の人は、「私は戦場掃除係でしてね、ごろごろころがっている兵隊の死体を集めましてんねん。集めて積み上げてガソリンかけて火いつけて焼いとったら、死体の中に残っとった不発弾がポンポン飛び出しましてなあ、それが当たって死んだ人もぎょうさんありましてんねん」と教えてくれた。

すると、それを聞きとがめた例の連隊旗手殿が、「何という無礼なことを。英霊を何と思っておるか」と、またどなりつけたのである。

連隊旗手殿は陸軍士官学校出の本物の軍人で、一方、福山からの二人も神戸からの方も、召集されて戦場に出た、単なる兵卒だった。五〇年も過ぎて、しかも、この軍人と兵卒とは、それぞれたがいに相知らぬ関係であるのに、かつての戦場にやってくると、軍隊の上下関係がそのままよみがえってくることに、私は再び驚いたのである。

この本を書くとき、私は何よりも、あの地獄のような戦場にあって、運よく生きながらえた人たち、それから、二〇歳を出たばかりで、ここに連れてこられて果てた兵士たちに読んでもらいたい気持ちだった。あなたたちの戦った戦争にはこんなふうな背景があったのだということを知っていただくために。

私はただひたすら、英霊のために真実を話してあげたいと思った。私がもしあの兵士たちのように果てたなら、やはりうその慰めよりは、真実を知りたいと思うにちがいない。いったいあの戦争は何のためだったのか。自分たちがあそこにいたのは、どういう理由でか、できるだけ調べてあげてあの人たちのところに送りとどけたいと思ったからだ。

私がそう思ったのは、日本の兵士だけではない。燃え上がる戦車の砲塔から、ママ！と泣き叫びながら、火だるまとなって転げ落ちたというソ連軍の若い兵士たちにも。

「ハルハ河の戦争」(モンゴルではこのように言う)のことが本当によくわかるようになったのは、最近一〇年くらいのことでしかない。いまモンゴルの歴史家たちは、たいへんな執念をもって、ソ連の支配に抵抗したために粛清された将軍や政治家の裁判記録をとり出して明るみに出しつつある。この作業そのものが、モンゴルという国が、独立していることのあかしなのだ。そしてやっといま何の気兼ねなく、真実を語ることができるようになったのだ。私もまた、ロシアやモンゴルの勇気ある史家たちの研究に励まされて、このささやかな本を書くことができた。

モンゴルの歴史家もロシアの研究者も、私にとっては、真実を求めるためにともに道を歩んできた大切な大切な同志である。私たちは、この戦争が何であったかを明らかにするために新たに始まった共同作戦に結ばれた「戦友」だとさえ言いたいのである。

この本を書きながら、さらにまた、次のようなことも思い出した。一九七二年、私は九年間つとめた東京外国語大学を去って、岡山大学に赴任した。その年だったか翌年だったか、夏の暑い日に、大阪から中年の男の人がやってきて、じつは司馬遼太郎先生の使いの者だが、先生が、あなたからぜひノモンハンについてうかがってこいとおっしゃって、こうして来ておりますと言って、私の前にテープレコーダーのマイクを置いたのである。

一九六九年にウランバートルを訪れた際、私はそこで戦勝三〇周年が祝われているのを見て、初めてこの戦争について考えるようになった。そのことを『世界』に書いたのを、司馬さんは注目されていたのであろう。そして、大阪から近い岡山に私が移ってきたからというので、こうして「使い」の人が取材に来られたのであろう。

しかし私は即座に取材をお断りした。私に聞きたいことがあれば司馬さんが自分でやってくればいいじゃないですか。私はマイクに向かってなんかしゃべりたくない。私たち研究者だったら、調べたいことがあれば、いつでも自分で出かけていくのがふつうですとお答えした。

司馬さんとはその後、二人一緒に講演に招かれてお会いすることがあったけれども、岡山での一件があって以来、私は打ちとけることができなかった。

その後、いろいろな場所で、司馬さんがノモンハンについてたいへん執念をもって書きたがっておられるという話を何度も聞いた。ついには、『司馬遼太郎は何故ノモンハンを書かなかったか?』と題した本まで現れた。この本の著者は、停戦後の国境確定会議に満洲国外交部の代表の一員として加わった北川四郎氏で、大阪外語蒙古語科では司馬さんより一〇年先輩にあたる方であった。氏は同窓であるだけに、司馬さんにどうしても書いてほしかったというお気持ちはわかる。

一九八九年、すなわち、停戦五〇周年を迎えると、ソ・モの二国だけでなく、敗者の日本からも代表を招き、あの戦争についてのシンポジウムや円卓会議がウランバートルとモスクワで、相次いで催された。ソ連崩壊寸前のころであり、ノモンハン戦争の研究に日本をも加えたのは、ソ連とモンゴルで進行していた、粛清された人々の名誉回復運動と関係があった。そのことがはっきりしたのは、ハルハ河円卓会議で、ノモンハン戦争ではジューコフ将軍と並んで功績のあった、極東方面軍参謀長で、粛清されたシュテルン将軍のご子息が招かれていたからだ。この名が明らかにしているように、アシュケナージ・ユダヤ人のシュテルンは、スペイン人民戦線の首席軍事顧問をつとめた後、張鼓峰(ハサン湖)で、対日戦を指揮した。そしてノモンハンでは四歳年上のジューコフの軍功をひときわ輝かせるための、かげの人となったのである。中国語を含むいくつもの言語に堪能だった。若くて魅力的なこの将軍が処刑されたと知って、多くのソ連の人々は胸をつかれたのである。こうした経験から、ノモンハン戦争の敗北について、日本ではひた隠しにされた部分が多いことは知られていたが、勝った側のソ連、モンゴルにとっても、日本に劣らず、とてつもなく大きな問題が隠されていることがうすうすわかっていた。それから数年の後には、ノモンハン前夜の一九三七、八年ごろの陰惨な粛清の状況を明るみに出す情報が続々と新聞などに現れるようになった。

それを見て、これは、司馬さんの手に合う仕事では決してないと思うようになった。今日のモンゴル語は司馬さんが学生であった頃からみると、大きな変化を経ているからである。司馬さん自身、勘のいい人だから、そのことを、やはり「うすうす」感じておられたはずである。

そもそも、今までにノモンハンについて書かれた一般読者向けの本の著者の誰一人として、そのようにしてオリジナルな文献の使える人はいなかったから、これほど重要な国際問題であるノモンハンはいつまでたっても、あの時の部隊の動かし方はああすればよかった、この指揮官のやり方はまずかったというような、日本軍内部のうちわ話の域にとどまっていたのである。

モンゴル、ソ連、日本代表三者の加わったいくつかの会議で発表された、モンゴル現代史の教える知識を重ねて考えているうちに、私がうすうす考えていたことは、ほとんど歴史の事実とも一致しているという気がしていたけれども、私のような小心者に、その「うすうす」のところが書けるはずがなかった。しかし研究者にとって、小心は卑怯と紙一重の悪徳である。自分はいさぎよくないという思いにさいなまれ始めていたころ、毎年のように出かけるウランウデやウランバートルで贈られたり買ったりした研究書に押される気持ちになった。

何よりも今年はあれからすでに七〇年、あの戦争から生きて還ってきた兵士のすべてがもう九〇歳を超えているし、何よりも、私自身が、とても若いとは言えない年齢に達してしまった。

そこで思いきって書いてみたのがこの本である。そして今思う。今だったら、この本を持って晴れ晴れと司馬さんの前に現れて、これまでの無礼を詫びたうえで、ノモンハンはこんなだったんですよと、ちょっと自慢して話ができたであろうのにと。そしてさらに思う。あのmongolophile《モンゴロフィール》(モンゴル好き)の司馬さんならではこその、目のさめるような『ノモンハン』を書いてくださったにちがいないと。

お詫びをしなければならないのは司馬さんだけでない。ウルジン将軍の相談役をしておられた岡本俊夫さんや、書かれたものをそのつどきちんと贈ってくださった吾孫子徹男さんにもお礼の手紙も書かずに過ぎてしまった。お送りいただいたそれらのものをこのたび読んでみて、いずれも貴重な記録であることがわかった。お礼を言いたくて急いで連絡をとってみたが、すでにご存命ではなかった。

さらにまた東京外語大学における言語学の私の恩師で、ハンガリー語、ウラル言語学の徳永康元先生のことも思い出す。先生はそのような専門にもかかわらず、ノモンハン戦争には特別の関心がおありだった。それには次のようなわけがあった。

たぶんまだ一九六〇年前後だったであろう。先生はエストニアであったウラル語学会に出席されたおり、コマツバラの消息を知らないかとホテルに訪ねてきた一女性のことを語られた。コマツバラとは、ノモンハン戦における日本側の敗戦の将、第二三師団長小松原道太郎中将のことである。その女性は、小松原が駐在武官としてエストニアにいたころ、親密だったということである。当時エストニアはソ連領だったから、小松原は恋人のいる国を敵にして、ノモンハンで戦ったことになる。私はこのことを聞いてから、戦史を読んでつまらない人だと思っていた小松原のことを、何か、好意をもって考えるようになったのである。

人生をいつもシニカルに、ときにペシミスティックに見ておられた徳永先生は、敵の中に心かよわせている友人や女性がいたというような話をしみじみとした調子で語るのを好まれた点では、ロマンチックな方であった。六年前、九一歳なのに、青年のように去っていかれてしまった先生から、エストニアの女性の物語をもっとうかがっておけばよかった。

この本には、私が自分ではっきりと気づいているいくつかの欠点がある。一つは、東部を満洲国のために削りとられ、それでもなお日本軍を利用しながら独立運動を戦っていた内モンゴルの動きとノモンハン戦争との関係が十分にとらえられていないことである。この方面での研究は、今、内モンゴルからの若い留学生諸君の力によって、めざましく開拓が進んでいる。

日本の大学は、今のところ、そのような研究の場所をかれらに与えることができ、そのことは、世界の研究現場の中でも日本が誇ることのできる貢献である。学問研究が、本質的に国際的でなければならないという大きな理由が、とりわけノモンハン戦争という研究対象に現れている。

おわりに、本書の編集にあたられた平田賢一さんにお礼を申し上げねばならない。というのは、岩波文庫でオットー・メンヒェン＝ヘルフェンの『トゥバ紀行』を翻訳したときの編集担当者でもあった平田さんは、その時の私の悪癖をよくのみ込んでおられたからであろう、多岐にわたる内容をもてあましているときに、まことに適切な助言を与えられたからである。

二〇〇九年四月

田中克彦

略年表

1929. 12	田中メモランドゥム，南京で発表
1931. 9. 18	満洲事変始まる
12	田中メモランドゥム，コミンテルンの機関誌に発表
1932. 3. 1	満洲国建国宣言
4	モンゴル西部で武装蜂起
1933. 1	コミンテルン，本格的にモンゴルを操作
3. 4	日本軍，熱河省承徳を占領
3. 24	日本，国際連盟脱退
1934. 3. 1	満洲国，帝政はじまる
6. 25	ルンベら 33 人を告発(35 年処刑)
11	ソ連・モンゴル相互援助条約(口頭)．この頃国境線をノモンハンに変更
1935. 1	ハルハ廟事件
1. 28	日本外務省声明，モ・満国境会談を提案
6. 3	マンチューリ会議はじまる(1941. 10. 15 国境確定)
6. 24	日本，ハイラースティーン河を測量
12. 19	モンゴルにソビエト軍進駐を通告
12. 30-31	ゲンデン，デミドらモスクワに出張
1936. 3. 12	ソ連・モンゴル相互援助条約署名
3. 22	ゲンデン首相を解任，この頃アダック・ドラーン事件
4. 12	関東軍，凌陞ら逮捕(4. 24 死刑)
6	ソ連軍，ウンドルハーンに進駐
11. 25	日独防共協定
1937. 7. 7	盧溝橋事件(日中戦争はじまる)
8. 22	デミド将軍，シベリア鉄道で怪死
10. 21	サンボー，ダリザブらを処刑
10	蒙古連盟自治政府，徳王副主席に
11. 26	ゲンデン，モスクワで処刑
12. 13	日本軍，南京占領
1938. 5. 29	フロント少佐，満洲国に亡命
6. 13	リュシコーフ大将，満洲国に亡命
8. 21	ビンバー大尉，満洲国に亡命(39. 9. 7 戦死)
1939. 5. 11	ノモンハン戦争はじまる
6. 27	タムサグ・ボラク爆撃
6	ドクソムらを逮捕(41. 7. 10 処刑)
9. 15	停戦協定
9. 16	日ソ停戦
9. 17	ソ連，ポーランドに進撃

参考文献

【日本語で読めるもの】
吾孫子徹男「凌陞事件について」(『大阪医科大学仁泉会ニュース』第19巻4・6・8〜10号，1988年)
生駒雅則『モンゴル民族の近現代史』(ユーラシアブックレット69) 東洋書店，2004年
磯野富士子『モンゴル革命』中公新書，1974年
岩下明裕『中・ロ国境4000キロ』角川選書，2003年
牛島康允『ノモンハン全戦史』自然と科学社，1988年
岡本俊雄『一人の「ブリヤートモンゴル人」と日本青年の出合い』非売品，1979年
岡本俊雄『一人の「ブリヤートモンゴル人」と日本青年の出合い』(続編)，1988年
北川四郎『ノモンハン─元満州国外交官の証言』現代史出版会，1979年
クックス，アルヴィン・D(岩崎俊夫訳)『ノモンハン　草原の日ソ戦』(上・下) 朝日新聞社，1989年
小長谷有紀(編)『モンゴル国における20世紀 (2)社会主義を闘った人びとの証言』人間文化研究機構国立民族学博物館，2007年
ゴルヴィツァー(瀬野文教訳)『黄禍論とは何か』草思社，1999年
シーシキン他(田中克彦編訳)『ノモンハンの戦い』岩波現代文庫，2006年
ジューコフ(清川勇吉，相場正三久，大沢正共訳)『ジューコフ元帥回想録』朝日新聞社，1970年
『ソロヴィヨフ選集』5「世界終末論」(御子柴道夫訳) 東宣出版，1973年
滝波秀子「“海拉爾《ハイラル》の父”寺田利光大佐の周辺─幻と消えた“ユートピア”」(中村喜和，長縄光男，ポダルコ・ピョートル編『異郷に生きる』4，成文社，2008年)
竹岡豊「私がリュシコフを撃った─亡命してきたソ連軍大将の運命を，いまはじめて語る」(『文藝春秋』1979年8月号)
田中克彦『草原の革命家たち　モンゴル独立への道』増補改訂版，中公新書，1990年
田中克彦『名前と人間』岩波新書，1996年
田中克彦『エスペラント　異端の言語』岩波新書，2007年
チョイバルサン他(田中克彦編訳)『モンゴル革命史』未来社，1971年
辻政信『ノモンハン』亜東書房，1950年
ドムチョクドンロプ(森久男訳)『徳王自伝─モンゴル再興の夢と挫折』岩波書店，1994年
西原征夫『全記録ハルビン特務機関─関東軍情報部の軌跡』毎日新聞社，1980年

ノモンハン会(編)『ノモンハン戦場日記』新人物往来社，1994年
ハイシッヒ(田中克彦訳)『モンゴルの歴史と文化』岩波文庫，2000年
秦郁彦『昭和史の謎を追う』(上) 文藝春秋，1993年
服部四郎『言語学者の随想』汲古書院，1992年
ファーイ，ローレル・E(藤岡啓介，佐々木千恵訳)『ショスタコーヴィチ ある生涯』アルファベータ，2002年
プレブ編(D. アルマース訳)『ハルハ河会戦 参戦兵士たちの回想』恒文社，1984年
防衛庁防衛研究所戦史室編『関東軍〈1〉対ソ戦備・ノモンハン事件』(戦史叢書) 朝雲新聞社，1969年
ポッペ『ニコラス・ポッペ回想録』下内充，板橋義三訳，三一書房，1990年
『満洲国軍』蘭星会，非売品，1970年
満洲国史編纂刊行会『満洲国史　各論』満蒙同胞援護会，1971年
メドヴェージェフ，ロイ(佐々木洋対談・評注，海野幸男訳)『スターリンと日本』現代思潮新社，2007年
ラティモア(後藤富男訳)『満洲に於ける蒙古民族』善隣協会，1934年

【モンゴル語】

Баасандорж, Ц., XX зууны монголын тvvхт хvмvvс Улс тєрийн хєрєг I-II, Улаанбаатар, 2007(バーサンドルジ『二〇世紀モンゴルの歴史的人物—政治の肖像 II』)

Баатар, С., Буриад зоныг залхаан цээрлvvлсэн нь, Уааанбаатар, 2007(バートル『ブリヤート人の迫害と粛清』)

Батбаяр, Ц., Гомбосvрэн, Д., Монгол, Манжгогий хилийн хэлэлцээ 1935-1941 он (Цэрэг-дипломатын тvvх), Улаанбаатар, 2004(バトバヤル，ゴンボスレン『モンゴル，満洲国の国境会議　1935-1941(軍事外交史)』)

Бат-Очир, Л., Чойбалсан, Улаанбаатар, 1996(バトオチル『チョイバルサン』)

Гэндэн, Т., Гурван тvмэн хvний амь, Улаанбаатар, 1999(ゲンデン『三万人の生命』)

Дамдинжав, Д., Монголын Буриад зон, Улаанбаатар, 2002(ダムディンジャブ『モンゴルのブリヤート人』)

Дашдаваа, Д, Манай улстєрийн хэлмэгдэгсдийн vр садынхны хохирол, Улаанбаатар, 2004(ダシダバー『政治的に誣された者たちの親族の損失』)

Жамсранжав, Ш., Халх голын байлдаанд Монголын армийн тєрєл мэрэгжил ийн цэргvvдд Улаанбаатар, 1965(ジャムサランジャブ『ハルハ河戦争におけるモンゴル軍特別部隊』)

Ичинноров, С., Тvvхийн vнэний мєрєєр, Улаанбаатар, 2006(イチンノロブ

『歴史の真実をたどって』)
Монгол Ардын Намын гуравдугаар их хурал, 1924 оны найм-есдүгээр сар, дэлгэрэнгүй тэмдэглэл, Улаанбаатар, 1966(「モンゴル人民党第三回大会詳録」1924年8月)
Өлзийбаатар, Д., Яагаад **1937** он?…, Улаанбаатар, 2004(ウルズィーバートル『何故1937年か?』)
Рощин, С. К., Монгол улсын маршал Х. Чойбалсан, Улаанбаатар, 2008(ローシチン『モンゴル国元帥チョイバルサン』モンゴル語訳)
Самдангэлэг, Ц., Зөвлөлт-Монголын армиуд Халх голд Японы түрэмгийчүүдийг бут цохисон нь., Улаанбаагар, 1981(サムダンゲレク『ソ・モ軍によるハルハ河における日本侵略者の撃滅』)
Түдэв, Л., Хувьсгал танаа өчье. Улаанбаатар, 1988(L. トゥデブ『革命よ, あなたに申し上げよう』)
Федюнинский, И. И., Дорнодод, Москва, 1990(フェデュニンスキー『東方にて』)

【ロシア語】

Алпатов, В. М. Николай-Николас ПОППЕ, Москва, 1996(アルパートフ『ニコライ—ニコラス・ポッペ』)
Базаров, Б. В., Генерал-лейтенант Маньчжоуго Уржин Гармаев, Улан-Удэ, 2001(バザーロフ『満洲国の中将ウルジン・ガルマーエフ』)
Баранов, А., Барга, Харбин, 1912(バラーノフ『バルガ』)
Российская Академий Наук Институт востоковедения, История Монголии XX век, Москва, 2007(ロシア科学アカデミー東洋学研究所『二〇世紀モンゴルの歴史』)
Соловьев, В., Три разговора, Москва, 2007(ソロヴィヨフ『三つの会話』)
Чинбат, И., Монгол төрийн мэргэн сайд А. Амар(**1886**он-**1941**он) Улаанбаатар, 2005(チンバト『モンゴル国の賢明なる大臣アマル』)
Чимитдоржиев, Ш. Б., Монголия в эпоху средпевековья и новое время, Улан-Удэ, 2007(チミトドルジーエフ『中世のモンゴルと現代』)

【ブリヤート語】

Дашын, С., Уржин Гармаев, Улаан-Үдэ, 2000(ダシーン『ウルジン・ガルマーエフ』)
Федюнинский, И. И., На вотоке, Москва, 1985(モンゴル語版 Дорнодод Москва **1990**)(フェデュニンスキー『東方にて』)

【ドイツ語】

Consten, Hermann, Weideplätze der Mongolen im Reiche der Chalcha, Berlin, Bd I, 1919, Bd, II, 1920(コンステン『ハルハ王国のモンゴル人遊牧草原』)

Heissig, W., Der mongolische Kulturwandel in den Hsingan＝Prorinzen Mandschukuos, Wien-Peking, 1944（ハイシッヒ『満洲国興安諸省におけるモンゴルの文化変容』）

Korostovetz, I. J. Von Cinggis Khan zur Sowjetrepublik, Berlin und Leipzig, 1926（邦訳：コロストウェッツ『蒙古近世史』高山洋吉訳，1937 年）

【英語】

Lattimore, Owen, Manchuria-Cradle of Conflict, New York, 1932（ラティモア『マンチュリア―紛争の揺籃』）

Lattimore, Owen, The Mongols of Manchuria, their Tribal Divisions, Geographical Distribution, Historical Relations with Manchus and Chinese and Present Political Problems, New York, [1]1934, [2]1969（ラティモア『満洲におけるモンゴル人』）

Wolff, Serge, Mongolian Educational Venture in Western Europe (1926-1929) Zentralasiatische Studien, Wiesbaden, 1971（ウォルフ『西ヨーロッパでのモンゴルの教育事業』）

田中克彦

1934年兵庫県に生まれる
1963年一橋大学大学院社会学研究科修了
現在——一橋大学名誉教授
専攻—言語学，モンゴル学
著書—『ことばと国家』『言語学とは何か』『名前と人間』『エスペラント』(以上，岩波新書)
『「スターリン言語学」精読』『言語からみた民族と国家』『チョムスキー』『法廷に立つ言語』『言語の思想』(以上，岩波現代文庫)
『国家語をこえて』『ことばのエコロジー』(筑摩書房)
『草原の革命家たち』(中公新書)
『ことばとは何か』(講談社学術文庫) ほか

ノモンハン戦争
モンゴルと満洲国　　岩波新書(新赤版)1191

2009年6月19日　第1刷発行

著　者　田中克彦《たなかかつひこ》

発行者　山口昭男

発行所　株式会社 岩波書店
〒101-8002 東京都千代田区一ツ橋2-5-5
案内 03-5210-4000　販売部 03-5210-4111
http://www.iwanami.co.jp/

新書編集部 03-5210-4054
http://www.iwanamishinsho.com/

印刷・三陽社　カバー・半七印刷　製本・中永製本

ISBN 978-4-00-431191-1　　Printed in Japan

岩波新書新赤版一〇〇〇点に際して

ひとつの時代が終わったと言われて久しい。だが、その先にいかなる時代を展望するのか、私たちはその輪郭すら描きえていない。二〇世紀から持ち越した課題の多くは、未だ解決の緒を見つけることのできないままであり、二一世紀が新たに招きよせた問題も少なくない。グローバル資本主義の浸透、憎悪の連鎖、暴力の応酬――世界は混沌として深い不安の只中にある。

現代社会においては変化が常態となり、速さと新しさに絶対的な価値が与えられた。消費社会の深化と情報技術の革命は、種々の境界を無くし、人々の生活やコミュニケーションの様式を根底から変容させてきた。ライフスタイルは多様化し、一面では個人の生き方をそれぞれが選びとる時代が始まっている。同時に、新たな格差が生まれ、様々な次元での亀裂や分断が深まっている。社会や歴史に対する意識が揺らぎ、普遍的な理念に対する根本的な懐疑や、現実を変えることへの無力感がひそかに根を張りつつある。そして生きることに誰もが困難を覚える時代が到来している。

しかし、日常生活のそれぞれの場で、自由と民主主義を獲得し実践することを通じて、私たち自身がそうした閉塞を乗り超え、希望の時代の幕開けを告げてゆくことは不可能ではあるまい。そのために、いま求められていること――それは、個と個の間で開かれた対話を積み重ねながら、人間らしく生きることの条件について一人ひとりが粘り強く思考することではないか。その営みの糧となるものが、教養に外ならないと私たちは考える。歴史とは何か、よく生きるとはいかなることか、世界そして人間はどこへ向かうべきなのか――こうした根源的な問いとの格闘が、文化と知の厚みを作り出し、個人と社会を支える基盤としての教養となった。まさにそのような教養への道案内こそ、岩波新書が創刊以来、追求してきたことである。

岩波新書は、日中戦争下の一九三八年一一月に赤版として創刊された。創刊の辞は、道義の精神に則らない日本の行動を憂慮し、批判的精神と良心的行動の欠如を戒めつつ、現代人の現代的教養を刊行の目的とする、と謳っている。以後、青版、黄版、新赤版と装いを改めながら、合計二五〇〇点余りを世に問うてきた。そして、いままた新赤版が一〇〇〇点を迎えたのを機に、人間の理性と良心への信頼を再確認し、それに裏打ちされた文化を培っていく決意を込めて、新しい装丁のもとに再出発したいと思う。一冊一冊から吹き出す新風が一人でも多くの読者の許に届くこと、そして希望ある時代への想像力を豊かにかき立てることを切に願う。

（二〇〇六年四月）